# 禅「心の大そうじ」

枡野俊明

三笠書房

## 名利共休《みようりともにきゆうす》——身の丈《たけ》で生きる

名声や利得は、水の泡のように消えてしまうもの。
日常のなかで心の充足を見つけることこそ「幸せな生き方」です。

（40ページ）

月心荘庭園

## 行雲流水《こううんりゅうすい》——運命にまかせきる

「このままでいいのだろうか」と、余計なことは考えない。

すべてをまかせきれば、おのずからいい結果がもたらされるはず。

（68ページ）

神嶽山　神苑

心が疲れたとき、仕事や時間を忘れて安らげる
あなただけの“山中”を見つけてください。

（142ページ）

# 山中無暦日《さんちゅうれきじつなし》

## ——家族とゆったり過ごす

## 喫茶去《きっさこ》——「まあ、お茶でもどうぞ」

人生、あまりに猪突猛進《ちょとつもうしん》なのは考えもの。
たまには、ただ無心にお茶を飲み、ほっとする時間を持ってください。

（52ページ）

神嶽山　神苑

誰にでも、“滅する”ときがくる。
どうぞ、その人の残した言葉を嚙みしめ、
泣いてあげてください。　（216ページ）

# 生者必滅《しようじやひつめつ》、会者定離《えしやじようり》

――悲しいときは、思いきり泣けばいい

歩歩是道場《ほほこれどうじょう》——食べることも、寝ることも「修行」

なにも、坐禅を組むばかりが修行ではない。
毎日を丁寧に、大事に生きること自体が修行です。

（74ページ）

三渓園　鶴翔閣庭園　残心庭

## 無心——「自然体」で臨む

強すぎる意地やこだわりは、視野を狭めるだけ。
心を少し遊ばせるくらいの余裕が、成功を呼び込みます。

（178ページ）

翠風荘　無心庭

余白——「何もない」から美しい

人生も「つめ込む」のではなく
「そぎ落とす」くらいがちょうどいい。
（200ページ）

※写真は、すべて著者がデザインした庭園です。

はじめに

# 禅語を活かして「シンプルに生きる」

今、私たちが生きている世の中は、「心の大そうじ」が必要な世の中だといえるのかもしれません。

一生懸命に頑張っているのに、何度も失敗してしまう。自分が置かれている環境に不満がある。どうしても、好きになれない人がいる……。

仕事でも人間関係でも、心に塵《ちり》やホコリが積もっている人が大勢いるようです。

そんな現状を打破し、もっと楽に、ゆっくり生きるにはどうしたらいいか。

私は、なにも特別なことをしようと気負う必要はないと考えています。ただし、ちょっとした工夫は必要です。心に積もっている塵やホコリ、わだかまっている澱《よど》みを取り除いてやる工夫。「禅語」には、そのためのヒントがぎっしり詰まっています。

「そうはいっても、禅語って、なんだか難しそう……」

みなさんは、禅語は何年も修行を積まなければ理解できないもの、という印象を持たれているのかもしれませんね。

たしかに、その奥行きの広さ、懐《ふところ》の深さでは、禅語の右に出るものはないでしょう。

しかし、同時に〝シンプルである〟ということも、禅語の大きな特徴なのです。

私の好きな禅語に、「歩歩是道場《ほほこれどうじょう》」というものがあります。

なにも特別な修行をする必要はない。食べることも寝ることも、人生を歩んでいるその一歩一歩が修行だということを、この禅語は教えています。

日々、さまざまな生活を送っているみなさんは、まさに修行の真《ま》っ只中《ただなか》にいるのです。それはもちろん、心をきれいにするための修行。そう、「心の大そうじ」ですね。

本書に集めた禅語は、そんな修行——すなわち、日常生活のコツです。

たとえば、食後や休憩時間にお茶を飲むあいだは、仕事のことや、人づき合いの悩みをサッパリ忘れると決めておく。すると、あわただしい日々で重くなっていた心が、ふっと軽くなります。このことを教えてくれるのが、「喫茶去《きっさこ》」という禅語です。

その他にも、職場での振る舞い方、食事や挨拶《あいさつ》の仕方、不安のしずめ方まで、すぐに実践できる〝ちょっとした習慣〟が満載です。

考えてみると、人は余計なことを考えたりするから、悩み、迷うのかもしれません。もっともっと、シンプルに生きてみませんか。禅語が教える「心の大そうじ」のコツはそのためにある、といってもいいでしょう。

禅語を活かした生活をすると、心が晴れやかになります。

悩んでいたことも「なぁんだ」と思えるようになります。

一日に一ページだけでいい、どこかで本書を開いてみてください。それだけで、今まで見えていた景色まで変わってくるかもしれません。

さあ、さっそく、「心の大そうじ」にとりかかってみましょう！

合掌

**枡野　俊明**

もくじ



# 1章

【上手に「気持ちを整理する」禅のヒント】

## あなたの「心の荷物」をスッとおろすコツ

2章

【毎日を「丁寧に生きる」禅のヒント】

# 挨拶、食事、整頓……シンプル生活のすすめ

## 3章

## 【「人間関係がうまくいく」禅のヒント】

# すべての出会いは「かけがえのないもの」

# 4章

【「仕事の悩みが晴れる」禅のヒント】

# 「頑張る」よりも、「心の持ち方」を変える

5章

【「一生の支えになる」禅のヒント】

## こう考えれば、人生はけっして難しくない

編集協力／岩下賢作
口絵写真／田畑みなお
本文ＤＴＰ／株式会社Ｓｕｎ Ｆｕｅｒｚａ

# 1章

# あなたの「心の荷物」をスッとおろすコツ

## 【上手に「気持ちを整理する」禅のヒント】

# 1

# もっと肩の力を抜く

――不《ふ》生《しよう》不《ふ》死《し》

## 「生まれて、死ぬ」――ただ、それだけ

生まれて、死ぬ――どんな人も、この摂理から逃れることはできません。だからこそ、少しでも長く生きることを願い、また、死ぬことに対して不安や恐れを抱くことにもなるのでしょう。

禅語に「不生不死」という言葉があります。生死は変えようのない絶対なるものだ、というのがその意味。ここに、生死をどう考えたらいいかのヒントがありそうです。

生も死も、私たちの手が及ばない絶対なるものなら、それについて思い悩んだりしたって仕方がない。摂理にまかせておくしかない、ということになりませんか。まかせきってしまえば、こだわる必要もなくなります。

「こんなふうに生きなくちゃ」とか「死ぬまでにこれだけはしておかなくては」といった〝縛り〟が、心から消え去っていくのです。

今この瞬間、自分が生きている。「それだけですごいじゃないか！」と思える。

その〝すごい自分〟を真剣に、そして、淡々と生きたらいい。禅の心に沿った肩の力が抜けた生き方とは、きっとそんなものだと思うのです。

# 2

# 「心のホコリ」は簡単に払える

――洗心《せんしん》

# 寺や神社に行かなくてもできる「心を洗う」法

私たちの心には、気づかないうちに塵《ちり》が積もっていきます。執着や欲などの煩悩《ぼんのう》がその最たるものですね。放っておけば塵はいつか高く積もってしまう。だから、心を洗って清めていく必要があるのです。

「心を洗いおのずから新たなり」という言葉が『後漢書《ごかんじょ》』にありますが、これも、常に心の塵を払って新しい自分になっていくことが大切だ、といっているわけです。

心を洗うには所作（行為）が必要です。寺や神社をお参りする際、本堂や神殿に行く前に手や口をすすぎますが、それは同時に心を清める所作になっています。所作をすることで心が洗われ、神聖な領域に入ることが許されるのです。

できれば、日常生活でも心を洗う所作を決めておいたらどうでしょう。

たとえば、食事の前にそっと手を合わせるとか、起きたら窓を開けて朝の大気を胸いっぱいに吸い込むとか。たったそれだけで、気持ちがシャキッとして心地よくなる。

そんなあなただけの〝洗心法〟を持っていれば、仕事で心が疲れてしまいそうになっても、日々の色合いが新たに変わっていくはずです。

# 3

# 嫌なことも嬉しいことも「一度忘れる」

——放下着《ほうげじゃく》

## 一生懸命になるためには「捨てる」

何をしていても、つい余計なことを考えるのが人間です。

せっかくの休日を家族で楽しんでいても、「明日の仕事の段取りは……」と考える。「楽しむ自分」に徹することができないのです。今、その瞬間以外のことは放っておけばいいのに、過去に思いをめぐらせ、未来を見据えずにはいられない。

禅では「放下着」――何もかも打ち捨てろ、と教えます。手放せないからとらわれるのです。捨ててしまえば、今、その瞬間に一生懸命になれる。

一休禅師にこんな逸話があります。弟子を連れて歩いていると、鰻《うなぎ》を焼く匂いが漂ってくる。「いい匂いだなぁ」と禅師はいいました。

しばらく歩くうちに、今度は弟子が「さきほどの禅師の言葉は、仏さまに仕える身として不謹慎ではないですか」という。禅師はこれに一喝《いつかつ》します。「お前はまだ鰻のことを考えていたのか。そんなもの、わしは鰻屋の前に捨ててきたわい」と。

今やっていることが、一番大事なのです。過去を引きずることはないし、未来を憂《うれ》えても仕方がない。目の前の〝今〟に打ち込むことが、一つの禅的な生き方です。

# 4

# 「当たり前のこと」をやればいい

——平常心是道《びょうじょうしんこれどう》

# 飾らない自分を見つけることが「悟り」

「悟り」と聞けば、長きにわたる修行の末にようやく到達できる、特別な境地だと考えている人が多いのではないでしょうか。

しかし、禅語は「平常心是道」と教えます。日々、当たり前のことを当たり前にやっている心こそ道であり、悟りもそこにある、という意味です。

茶人の千利休《せんのりきゅう》も、茶の湯について「茶の湯とは、ただ湯を沸かし、茶を点《た》てて飲むばかりなるものとこそ知れ」という言葉を残しています。

なにも道を究《きわ》めようなどと、力むことはないのです。ただ、今やるべきことを自分の命を込めて当たり前にやっていればいい。命を込めるとは、ひたすら取り組むこと、といってもいいかもしれません。

誰にでもその瞬間、瞬間になすべきことがあります。それは仕事かもしれないし、勉強かもしれない。しかしいずれにせよ、「何かのためにする」「これをすれば何が得られる」などと、とらわれることなく、目の前のことに集中して自分を投げ込む。そこに飾らない自分の姿があり、その心こそが「悟り」でもあるのです。

5

# うまく言葉にできなくてもいい

――黙《もく》

# あえて言葉に「余白」をつくる

私たちは自分の思いを、言葉を尽くして語ろうとします。しかし、語り終えてみると、「何か違う」ということがある。

それでいいのです。一番大事なことは、言葉にならないものなのです。

禅の庭を思い浮かべてみてください。白砂と石組みを配したシンプルな枯山水《かれさんすい》は、見る人にさまざまな印象や、心の安らぎを与えます。その印象を形づくっているのは目に見える白砂や石だけではありません。何もない空間、いわば「余白」が印象づくりに大きくかかわり、見る人の想像力をかき立て、心に深い余韻を残すのです。

むしろ、一番強く訴えかけるのは余白だといっていいのかもしれません。

沈黙はまさしく「言葉の余白」です。その余白で何を伝えられるか。あるいは、相手の言葉の余白から何を感じ取れるか。人間の器、力量はそこにかかっている、といっても過言ではないでしょう。

言葉少なでも、確たる存在感を示す人がいます。話し下手でも誠意が伝わってくる人がいます。心を込めて話した短い言葉は、相手の心にしっかりと届いているのです。

# 6
# 身の丈《たけ》で生きる

――名利共休《みょうりともにきゅうす》

# 名声や利得は、水の泡のように消えてしまう

世間での名声や、豊かな富を手に入れれば、誇らしい気持ちになるもの。

ただし、それは自分だけの〝心の褒美《ほうび》〟と心得ておくくらいがいいのです。

禅語に「名利共休」という言葉があります。名利は「名聞利養《みょうもんりよう》」の略ですが、全体では名声や利得に執着しない心を持つ、という意味です。

名声や利得を笠に着てふんぞり返ったり、傲岸不遜《ごうがんふそん》にふるまったりするのは、まさに、その名声や利得に執着しているから。そんな態度を続けても、一時は周囲に大勢の人が集まってくるかもしれませんが、もし、名声や利得を失ったらどうでしょうか。おそらく、クモの子を散らすように人々は離れていくはずです。

名声も利得もずっと持ち続けられるものではありません。何かあれば、いとも簡単に消え去ってしまうのです。

そんなものに執着せず、日常のなかで心の充足を見つけるようにしてください。

お年寄りに席を譲った自分をふっと好きになる、といったことだっていいのです。虚《むな》しい名声や利得より、ずっと心を豊かにしてくれます。

# 7

# 「ほどほどに」生きる

――知足《ちそく》

## 欲望と「上手につき合う」生き方

禅の教えからわかる、気持ちが軽やかに、心地よく生きられる秘訣《ひけつ》があります。

「知足」——すなわち、足《た》るを知るというのがそれです。

ものに対してはもちろん、人間関係でも仕事でも、「もっと欲しい」と思うことがある。しかし、欲望には際限がありません。ものが一つ増えても、人脈の輪が一つ広がっても、仕事で一つ成果を上げても、満足することはできないのです。

なにも、上昇志向が悪いというのではありません。

その前にまず、今を「ありがたい。もう、十分だ」という気持ちで受けとめればいい、ということです。その心持ちでいたら、むやみに周囲に惑わされることもなく、いつも心が豊かで充実した生活が送れるはずです。

そのなかで自然に手に入るものは、ものでも人の輪でも地位でも、拒否する必要はありません。入ってきたその時々で「もう十分」と受けとめ続ければいいのです。

人間である以上、欲望を持つのは仕方のないこと。だから、ほどほどを知って、少しの欲望と調和して生きる。それが、一つの禅的生き方です。

# 8

# 「他人と違うこと」を恐れない

——木鶏鳴子夜《もつけいしやになく》

## 良寛が実践した「理想の生き方」とは……

「木鶏鳴子夜」は「芻狗吠天明《すうくてんめいにほゆ》」と対句をなす言葉です。木彫りの鶏が子《ね》の刻（深夜〇時頃）に鳴き、藁《わら》細工の犬は夜明けとともに吠えだした、というのがその意味。

鶏が鳴くのは夜明けと決まっているし、犬の遠吠えは深夜が定刻ですから、これではまったくあべこべです。これは、常識を破った自由自在の行動をいったもので、何ものにもとらわれない、〝突き抜けた境地〟といってもいいでしょう。

江戸後期の僧侶・良寛禅師は、生涯寺を持たずに質素な生活を続け、民衆と般若湯《はんにゃとう》（酒）を酌《く》み交わすこともあったといいます。悟りを開いて心境は至高にありながら、それにとらわれることなく、庶民とのふれ合いを忘れなかったのです。こうして〝突き抜けること〟が、禅の理想ともいえそうです。

そこまでの心境に達することは無理でも、「これは常識！」と思われていることに、いたずらにとらわれない姿勢を持つことはできます。世間で多くいわれていることよりり、自分の感性を信じて行動してみる。きっと、それまでにない自由さを感じるはず。それだって、禅の理想に一歩近づいたことになるのです。

# 9

# スカッとするほど大声を出す

——喝《かつ》

## 大声で「喝！」を入れる

禅の諸派のなかでも、臨済宗《りんざいしゅう》では「喝」が重要な役割を担っています。

その由来は唐代の禅僧・百丈懐海《ひやくじようえかい》。あるとき、百丈禅師は師匠にあたる馬祖道一《ばそどういつ》老師から、文字どおり、「喝！」と一喝され、三日間耳が聞こえなくなった、という古事が残っています。思い悩んでいた百丈禅師の心の内を見抜いた老師の一喝が、心の霧をすっかり払いのけてしまったのでしょう。

腹の底から絞り出す大きな声で、一切のものを打ち払うのが喝です。「いつまでも一つのことに悩むな。吹っ切れ！」ということですね。

仕事や人間関係など、少なからず、誰にでも悩みはまとわりついているはず。いくら考えても解決策が見出せない、つらい思いがいつまでも心にわだかまっている……こんなときは、全身全霊を込め、自分に「喝」を入れてみてください。

なにも、本当に「喝」と声に出さなくてもいいのです。もっと身近な言葉なら「よし！」でもいい。そういってみたらどうでしょうか。

不思議と悩みも吹っ切れて、心がふっと軽くなるはずです。

# 10

# 正解が一つとは限らない

――墨絵に五彩あり

# 目に見えるものがすべてではない

墨の濃淡だけで描かれている墨絵を、和室などで見たことがあると思います。
禅僧たちは、自分が摑んだ禅の境地を何か形あるものに置き換えようと、絵筆をとりました。それが雪舟《せっしゅう》をはじめ、画僧と呼ばれる人たちです。墨以外一切の色を使わない墨絵の世界は、見るものに無限に広がりのある色を伝えます。

たとえば、一つひとつ風合いが違う六つの柿が描かれた禅画があります。どれがどのくらい熟しているのか、色を使って描き分けることはできるでしょう。しかし、それでは一様な受けとり方しかされない。

一方、墨の濃淡で描かれた柿は、想像力にはたらきかけ、見る人それぞれに思い思いの熟し加減を伝えるのです。そこに、ある人は橙色《だいだい》を見るかもしれませんし、ある人は深紅を見るかもしれません。色では表現しきれない色が墨絵から伝わっていくのです。これが、「墨絵に五彩あり」といわれる所以《ゆえん》です。

はっきりと識別できるもの、目に見えるものだけが、たしかなのではありません。
そこから自分なりに何を感じるか。それが重要なのです。

# 11

# 考え方を「ほんのちょっと」変える

——三心《さんしん》

## 実践できなくても、心にとめるだけでいい

典座《てんぞ》（禅寺で食事を司《つかさど》る役職）の心得として、道元禅師は「三心」をあげています。

まず、喜心《きしん》はこの世に生まれて、今その立場にあることをありがたいと思う心。

老心《ろうしん》は親が子どもを気遣うように、あるいは、老婆《ろうば》をいたわるように、自分自身を措《お》いてでも、まず相手のために何かをしようとする心。

そして、大心《だいしん》は大山のようにどっしりと、大海のように悠々と構え、一切の偏りや固執するところがない心。

これはもう、私たち人間の誰もが持っておくべき心得です。

しかし、いざ実践するとなると難しいというのが正直なところでしょう。

だから、いつも心のどこかにとめておく、ということだけでいいのです。

仕事でつらいことがあっても、その仕事に就いていることが「ありがたい」と思えたら、気持ちが支えられる。人間関係で躓《つまず》いても、「自分より相手のため」と思えば、踏みとどまることができる。大きな決断をせまられたときも、あわてずに考える姿勢が生まれる……そんなふうに、少しずつ三心に近づいていけばいいのです。

# 12

# 「まあ、お茶でもどうぞ」

——喫茶去《きっさこ》

# 忙しくても、一息つくことを忘れない

一息つくのも忘れて、黙々と仕事に精を出している人。もちろん、一生懸命に仕事に向かうのもいいですが、あまりに猪突猛進《ちょとつもうしん》に取り組むのは考えものです。

唐代の趙州《じょうしゅう》従諗《じゅうしん》という禅師は、修行僧が訪ねてくると、必ず「ここに来たことがあるか」と尋ね、答えが「ある」でも「ない」でも、「喫茶去（お茶でも飲んでいけ）」とだけいったそうです。さらに、「悟りを開くにはどうしたらいいか」という問いにも「喫茶去」としかいわない。不思議がって、禅師のいる寺の院主《いんじゅ》がその理由を聞くと、ここでも「喫茶去」といったそうです。

悟りを開く道などない、一杯のお茶を飲むときは、ただ無心にお茶を飲むことに集中している。何でもないこと、当たり前のことを、他に気をとられることなくひたすらやる。それこそ、もう悟っていることなのだ——これが、この禅語の意味です。

お茶で一息つくこともそうですが、日常的に「仕事が第一。○○は二の次」などといって、なおざりにしていることが多くあります。しかし、二の次も三の次もありません。仕事もお茶も、そのときどきで一生懸命にやればいいのです。

# 13

# 「やる」とか「やらない」とかこだわらない

——両忘《りょうぼう》

## 「損得を忘れる」から見えるものがある

人間は、いつも迷いのなかにいます。

何か行動を起こそうとするときも、「やるべきか、やらざるべきか」と迷う。もっとも現実的な迷いは、それをやったら「得か、損か」ということかもしれません。

禅語の「両忘」は、善悪や迷悟など、対立する概念を忘れ去った自由平等な境地を意味する言葉です。善いとか悪いとか、勝手なレッテルを貼らずに、あるがままを受けとる、といったところでしょうか。

中国の南北朝時代の僧・宝誌《ほうし》禅師はこんな言葉を残しています。

「両忘すれば常に心は静寂の境地となり、自然に真理と一体となることができる」

ああだ、こうだ、というはからいを忘れてしまえば、心はシーンと静まりかえって、騒ぐところは一つもない。そんな心地のよい境地でいれば、おのずから真理のなかで生かされていることがわかる、といった意味でしょう。

自分の目の前にあるもの、たとえば、仕事でもそれ自体には得も損もないのです。思い切ってそれを忘れ、もっと楽に、自由に取り組んでみませんか。

# 14

# 年をとるのも悪くない

――閑古錐《かんこすい》

# 歴史をくぐり抜けたものだけが持つ輝き

人生はよく四季に喩《たと》えられます。春夏秋冬の移り変わりにも似て、人は趣《おもむき》の違った年代を生きながら齢《よわい》を重ねていく。

その晩年、老境に入る時期には、活力や行動力は否応なく衰えてくるでしょう。下の世代から見ると、その姿が〝老害〟と映ることがあるかもしれません。

それでも、老境には他の世代の追随を許さない〝すごさ〟があるのです。「閑古錐」はそのことをいった禅語です。

真新しい錐《きり》は切っ先も鋭く、木に穴を穿《うが》つのも容易です。しかし、使い込んでいるうちに、だんだん先は丸くなり、使い勝手は悪くなります。ところが、その一方で歴史をくぐり抜けたものだけが持つ鈍い光（力強さ）を感じさせる。

そばにいるだけで癒される祖父母、ただ話を聞いてもらうだけで心和《なご》む恩師、何かのときにそっと背中を押してくれる人生の大先輩……。みな、閑古錐です。

老境を淡々と、だが、静かなる輝きを放って生きている。齢を重ねるのも悪くない、と感じさせてくれる人たちです。

# 15

# 「すごい自分」を探さなくていい

――眼横鼻直《がんのうびちょく》

## 道元がいう「悟り」とは……

何か「これだ！」というものを摑みたい。ものごとの真理を知りたい。何を目指して生きればいいのか、明確な確信を持ちたい。

誰でも、自分のなかに〝揺るぎないもの〟を持つことを願っています。だから、悩み、苦しむ。そんなときは、道元禅師の教えにふれてください。

道元禅師は修行先の宋《そう》から戻られたとき、朝廷から「何を持ち帰ったか」と問われ、「眼横鼻直、空手還郷《くうしゅげんきょう》」といわれました。眼は横に並び、鼻は真っ直ぐについている。そのことがわかったから、何一つ持たずに帰ってきました、というわけです。

眼は横、鼻は直なのは当たり前。しかし、それは人間が望んだからそうなったのではありません。宇宙の理《ことわり》、仏さまのはからいで、そうなっているのです。こと人間だけでなく、万物はありのままの姿で安住しています。そこに気づくことが悟りの境地なのだ、と禅師はいっているのです。

揺るぎないものを探す必要などありません。自分が今ここに〝いる〟ことが、実は「すごい」と気づけばいい。「ありがたい」と感謝したら、それで十分なのです。

# 16

# 無理して答えを出そうとしない

――狗子《くし》仏性《ぶっしょう》

# 「わかるときがくるまで放っておく」という選択

禅では「公案《こうあん》」と呼ばれる、いわゆる禅問答を行ないます。

有名な公案の一つが、「狗子仏性」です。

ある修行僧が、趙州和尚《おしょう》にこう聞きました。

「犬に仏性があるのか、ないのか」

仏教の教えでは「一切衆生《いっさいしゅじょう》 悉有仏性《しつうぶっしょう》」――すべてのものに仏性がある、としています。ところが、趙州和尚は「無」と答えたのです。

これは〝無い〟ということではありません。かといって〝有る〟でもない。

趙州和尚の「無」は有無ということを超えた、「絶対の無」といったものでしょうか。有るか無いかを考えれば、判断がはたらく。そんな判断をすること自体が、とらわれていることなのです。

判断など捨ててしまえ――和尚の「無」は、そんなふうにもとれます。本当のところは、いくら考えてもわからない。それぞれが悟る以外にはないのです。いつまでも考えあぐねているより、悟れる機が熟すまでほったらかすのも、一つの手です。

# 17

# 「損得抜き」で考えればもっと楽しめる

——自己を習うというは、自己を忘るるなり

## 一心不乱に打ち込むことができるか

私が庭園デザイナーとして庭のデザインをするときには、作業の前に、頭のなかで石を置き、完成形をイメージします。しかし、いざ作業に入ると、そんなイメージは頭からなくなり、ただ、石を組むことだけに集中している自分がいます。

道元禅師は「仏道を習うというは、自己を習うなり。自己を習うというは、自己を忘るるなり」といっています。

私たちにも、自分を忘れて一心に何かに集中する、ということがある。

たとえば、最初は仕事の役に立つという計算があって始めた英会話がどんどん面白くなり、興味は英国の歴史や伝統、風習などにまで広がっていく。休暇には彼《か》の地に出かけ、人々とのふれ合いの中でそれらを学ぶのが無類の楽しみになる、といったことがあるかもしれません。そこには、計算ずくでない自分がいます。

それが、欲やら得やらという余計なものをまとっていない〝正味《しょうみ》〟の自分ということでしょう。そんな正味の自分とどれほど出会えるか、正味の自分をどれほど感じられるか——そこが、人生の勝負所だという気がします。

# 18

# 寄り道をしたってかまわない

――水鳥の行くも帰るも跡絶えて、
されども路は忘れざりけり

# 何かを始めるのに「遅すぎることはない」

人生の目標が定まらない。若い人などはとくに、そう感じることもあるでしょう。でも、あせることはない。いろいろとやってみたらいいのです。

道元禅師はこんな歌を残しています。

「水鳥の行くも帰るも跡絶えて、されども路は忘れざりけり」

水面を行く水鳥は、あちこちへと泳いでいき、その跡はさざ波にかき消されてわからない。しかし、勝手気ままに泳いでいるようでいて、ちゃんと外敵への警戒も怠《おこた》ることはなく、自分の本分を忘れずに泳ぎ続けている、という意味です。

人生に紆余曲折《うよきょくせつ》はつきものです。ときには道を変えたり、寄り道をしたって、ちっともかまわないのです。

また、いい年なのだからそろそろこうしなければ、とか、こんなことがしたいけれど、もうこんな年齢になってしまったし……ということもありません。

そんなことにとらわれずに、その時々にやりたいことを一生懸命にやっていけばいい。そのなかにきっと、自分の本分（本当の姿）があらわれているのです。

# 19

# 空気を吸ってスッキリする

――呼吸

## 心を整える「丹田呼吸《たんでんこきゅう》」のすすめ

坐禅《ざぜん》を組むときには、丹田呼吸（下っ腹に意識を集中して、ゆっくりと息を吐き、吸い込むという呼吸）をします。そうすると、呼吸が深くなり、頭にも酸素が行き渡って冴え冴えしてきます。

心を整えるには坐禅が一番ですが、大きな声を出すのも有効です。胸で呼吸をしていると、喉《のど》が締まって大きな声は出ません。つまり、声を出すことで自然に腹式呼吸になる、というわけです。

なぜか気分が塞いだり、憂うつになったりしたとき、そこから抜け出せずに、悶々《もんもん》とすることもあるでしょう。ここは一つ、大声の活用です。好きな歌を大声で歌うといい。遠慮なんかしないで、がなり立てるくらい声を出したらいいのです。

たとえ歌が苦手な人でも、気に入っている詩の一節や、好きな言葉ならあるのではありませんか。長いものでなくていい、自分の心に響くワンフレーズを大声でいってみたらどうでしょう。思い浮かばなかったら「元気ですかぁ！」なんていうのを拝借する手もあります。頭も気分もスキッとしますよ！

# 20

# 運命にまかせきる

――行雲流水《こううんりゅうすい》

## 雲のように、水のように「逆らわない」

禅では、修行僧のことを「雲水《うんすい》」といいます。これは「行雲流水」が略されたもの。修行僧は、雲が行くごとく、水が流れるごとく、居場所を定めず、師を求めて旅を続けることから、この呼称が生まれました。

今は、ここが曹洞《そうとう》宗の修行道場、ここが臨済宗といった具合に、受け入れ先が決まっていますが、かつては曹洞も臨済も関係なく、「この人だ」という師と巡り会うまで旅は続きました。曹洞の寺で修行していても、「お前にはあちらの寺のほうが相応《ふさわ》しい」と臨済の寺を紹介される、ということもあったそうです。

行く雲も、流れる水も、自然に逆らうことなく、すべてまかせきって漂い、移ろっていく。修行僧の心持ちも、そんなものだったでしょう。修行のなかに自分をまかせきっていたら、必ず心の師に出会えると信じていたのだと思います。

私たちも、「自分はこのままでいいのだろうか」などと、今かかわっていること、やり続けていることを疑っても仕方がありません。自分を信じて、そしてまかせきったら、おのずから結果はもたらされます。

# 21

# すぐカッとならない

――三毒（貪《とん》・瞋《じん》・癡《ち》）

## マイナス感情が頭にのぼる前に「お腹にとどめる」

私たちの身心を煩《わずら》わせ悩ませるのが煩悩。その代表的なものが貪、瞋、癡（貪《むさぼ》り、怒り、おろかさ）の三毒です。どれもコントロールが難しい、厄介な感情です。欲しいものを手に入れずにはいられなくて、手に入れたら別のものが欲しくなる。ちょっとしたことで怒り、それをまわりの人にぶつける。モラルからはずれるような言動をする……誰にでも、思いあたる節《ふし》があるのではないでしょうか。

總持寺《そうじじ》の貫主《かんじゅ》をしておられた板橋興宗《こうしゅう》禅師は、以前こうおっしゃっていました。「頭で考えるな」――欲しいと思っても、怒りの感情が湧いても、あるいは、おろかな言動をしてしまいそうなときも、お腹だけにとどめて、頭まで持っていくな、ということです。

そのコツが、「ありがとさん」を三回唱えろ、ということでした。なにもこの文言《もんごん》でなくてもよいのです。厄介な感情が湧いてきたら、自分で決めた言葉を三回いって、間を置いてみてください。すると、冷静さが戻ってお腹にあったものが消えるはずです。この有効な〝毒消し〟、大いに活用してください。

# 2章

【毎日を「丁寧に生きる」禅のヒント】

# 挨拶、食事、整頓……シンプル生活のすすめ

# 22

# 食べることも、寝ることも「修行」

——歩歩是道場《ほほこれどうじょう》

# 毎日、「丁寧に生きる」

「気持ちを引き締めたいので、坐禅ができるいい道場はありませんか」

私は、しばしばそんな質問を受けます。どうやら、特別な道場に行かなければ修行はできないと思っている人が多いようです。

しかし、禅では日常生活のあらゆる場面、生きている一瞬一瞬、人生の歩みの一歩一歩が、すべて〝道場〟だと考えます。だから、行住坐臥《ぎょうじゅうざが》、つまり、日々の振る舞いの一つひとつは〝修行〟なのです。目覚めて顔を洗うことも、食事をすることも、仕事をすることも、そうじをすることも、眠ることも修行です。それを端的にいっているのが「歩歩是道場」という言葉です。

それらの修行とどう取り組んでいるか——大事なのはそこです。怠惰《たいだ》に流れてしまっていないか、どこかおざなりにしているところはないか、気づかないうちに軽んじてはいないか。一日の行ないを、ぜひ振り返ってみてください。

そして、一つひとつの行動に、心を込めて真剣に向き合う。気を引き締めて必死に取り組む。それ以外に、あなたの道場を活かしきる方法はありません。

# 23

# 「ご恩」を感じながら暮らす

——お蔭様

## 「お蔭様」の心で私たちは生かされている

ふだん何気なく使っている言葉に「おかげさま」があります。

この「お蔭様」とは、蔭に隠れて見えないご先祖様やご縁をいただいた方のこと。その存在があって今の自分がある、という感謝の思いが込められています。

食べものにしても、私たちは当たり前のように毎日いろんなものを口にしていますが、禅では、その蔭には一〇〇人の方の見えない恩恵があると教えています。

穀物や野菜の種をつくる人、それを売る人、種を蒔《ま》き育てる人、収穫する人、収穫物を集める人、出荷する人、流通にかかわる人、商品として販売する人……そして、もちろん、それを調理してくれる家族。

いちいちあげていたらキリがありませんが、このように、一粒のご飯にも数え切れない人たちの恩恵があって、はじめて、私たちの口に入るのです。

仕事だって、目には見えない大勢の人のご縁がつながっているからこそ、自分がそれに携わることができ、生活を支えてくれている。お蔭様によって生かされている自分を、それぞれに感じてください。

# 24

# 「昨日、何かあったのかな」と気にかける

——挨拶《あいさつ》

## 挨拶は「心と心で会話する」ための言葉

「挨拶」が禅語だということをご存じですか。

「挨」も「拶」も押し合うという意味で、元来、禅僧がお互いに押し問答をして相手の悟りをためす（悟りの程度を知る）ことを挨拶といったのです。そこから手紙のやりとり、人との応答、返礼といった意味で使われ、現在では出会いや別れの際に、親愛の情や儀礼の心を言葉で述べるものになっています。

もともとの挨拶は相手にはたらきかけて、その心の状態を知ろうとするものだったのですが、これは現在の挨拶にも共通しているといえます。

「おはようございます」と声をかけて、相手から返ってくる挨拶の調子で、「元気があるな」とか「昨日、何かあったのかな」とか、なんとなく心の状態がわかる。また、相手にもこちらの心が伝わっていきます。

明るく元気な声で挨拶を交わせば、心と心でいいエネルギー交換ができます。そして、お互いに気持ちよく一日のスタートが切れるはず。ムニャムニャと何をいっているかわからないような挨拶はやめて、スッキリと一日を過ごしましょう。

25

# 心を整えるには「足下から」

——脚下照顧《きやつかしようこ》

## 履き物の整理が「心の整理」につながる

「足下をすくわれる」という言葉があるように、足下をしっかり固めておかないと、思わぬ困難や悩みにぶつかることがあります。

禅語の「脚下照顧」は、文字どおり、足下もきちんと見なさいという意味。足下とは自分の拠《よ》って立つ場所、または、拠り所となる自分の心といってもいいでしょう。

もっとも、心が整っていなければ、拠り所とはなりません。

心を整える——そのヒントは、まさに足下にあります。脱いだ履き物をきちんと揃えていますか。あちこちに脱ぎ散らかす、なんてことはいただけません。

「なんだ、そんなこと？」と思うかもしれませんが、履き物が乱れていても気にならないということは、それだけ心が整っていないということです。

忙しいと、つい脱ぎっぱなしにしがちですが、「忙」とは「心を亡くす」こと。つまり、心ここにあらずで、心が整っていないことが、履き物にあらわれるのです。

反対に、いつでも履き物を揃え、ふっとひと呼吸おくくらいの余裕を持っていれば、それだけで心が整ってくるから不思議です。

# 26

汚れを磨くのではなく、心を磨く

――便所

## なぜ、トイレそうじで心も洗われるのか

禅では便所のことを東司《とうす》（東浄《とうちん》）といいます。禅寺には私語が禁じられている大切な場所（三黙道場《さんもく》）が三つありますが、僧堂《そうどう》、浴司《よくす》と並んで東司も加えられています。実際に、東司で悟りを開いた先達も少なくないと聞きます。

だから、そのそうじは重要な修行でもあります。百丈禅師は、そうじを坐禅と同じくらい大事な修行だと位置づけています。

その意味は、己の心を磨くということ。単に汚れている場所をきれいにするだけではありません。雑巾《ぞうきん》の一拭き、一拭きに心を磨いているのだという、気づきと自覚がなければいけない。

禅の修行には、一〇〇日ものあいだ、首座《しゅそ》というリーダー役の禅僧が、まだ皆が眠っている午前三時頃に起きて、一人で便所そうじを行なう習慣があります。ピカピカに磨き上げると心までピシッと引き締まって、きれいになるのです。

心にモヤモヤがあるときの気分転換に、便所そうじはうってつけです。「一丁、心を磨くか！」――そう自分にひと声かけて、心ゆくまで磨いてください。

# 27

# 何事も「入り口」が肝心

――玄関

## なぜ、玄関に「人の生き方」があらわれるのか

あなたの家の玄関は、きれいに整頓されていますか。

玄関は単に家の入り口という意味合いを持つだけではありません。玄関を見れば、住人の暮らしぶり、ひいては生き方がわかる、ともいわれます。

玄関がはじめてつくられたのは鎌倉時代の禅寺でした。「玄妙《げんみょう》に入る関」が元来の呼び名。奥深い道理、絶対的な真理に入っていく関所という意味です。

禅寺には方丈《ほうじょう》という建物のなかに、住職が弟子と問答をしたり、文化人を迎えて漢詩を詠んだり、書画を描くなどの交流をする場所がありました。方丈は、寺でも一番重要な場所だったのです。

その方丈の入り口に玄関は設けられました。大事な場所に入る関所ですから、常にきれいに掃き清められ、履き物も一切の乱れなく整えられていたのは当然です。禅寺でとくに玄関の清掃整頓を厳しくいうのは、こうした背景があるからです。

現代でも、清掃整頓が行き届いている家は、住人もピシャッと背筋を伸ばすような生き方をしています。毎日の玄関の掃除が、生きる姿勢をも左右するのでしょう。

# 28

# 「一つの命」を何度でも生かす

——見立て

# ものを最大限に生かす「シンプル生活」のすすめ

あなたの生活のなかには、どのくらい〝使い捨て〟のものがあるでしょうか。

禅とゆかりの深い茶の湯には、「見立て」という考え方があります。

あるものをその姿だけではなく、別のものとして見る、ということですが、禅的に解釈すれば、「一つの命を何度でも生かす」ということになると思います。

私の寺には竹林があります。古くなった竹は間引きをしますが、間引いた竹はそれで命を終わるわけではない。蠟燭《ろうそく》を立てる器にしたり、四季の花をいけ込む一輪挿しの花器にしたりと、新たな命を吹き込みます。

竹そのものの風情《ふぜい》もいいが、灯りを包み込んで境内《けいだい》を照らしてくれる純和風の燭台《しょくだい》の風情もまた、なかなかのもの。見立てで、ものはいくつもの命を持つのです。最後は竹炭になり灰として大地に還っていくのが、わが竹の行く末ですが、そこでも土という新しい命になっていいます。

生かす心があれば、ものはいかようにも生きる。その心持ちで見直してみると、生活が格段に気持ちのよい、シンプルなものになります。

29

# 相手を思って料理する

——真心を馳《ち》走《そう》す

# 毎日することだからこそ「真心」を込める

日常的にしなければならないことの代表格が炊事。「あぁ、面倒くさい。しなくてすむならどんなに楽か」と感じながら食事をつくっている人もいるかもしれません。

しかし、炊事は単に料理をつくるというだけの仕事ではないと思います。「真心を馳走す」——自分のありったけの真心で料理をつくり、料理に込められたその真心を相手に振る舞うものなのです。

禅では、炊事とは純粋で雑念のない仏道修行そのものであって、ひたすら悟りを求める心であたらなければ、無駄につらいことに心を煩わすだけだ、としています。

〝面倒〟などと思うのは、もっての外《ほか》です。

とはいっても、そこまで覚悟を決めて炊事に臨むのは簡単ではないでしょう。

でも、つくることに専心することくらいはできるはずです。片手間のやっつけ仕事、手抜きから脱して、他のことは考えずに真剣に取り組んでみる。

すると、馳走する相手が配偶者であっても恋人であっても、あるいは自分自身でも、ひと味違った〝思い〟を味わってもらうことができるのです。

30

# 気持ちを込めて「いただきます」

——五観《ごかん》の偈《げ》

## 「感謝の心を持って食べる」のが禅的生活の基本

禅では、「五観の偈」を唱え、厳格な食事作法に従って食事をいただきます。

わかりやすくいえば、次のようなことになります。

一、多くの人のはたらきによって、今この食事があることに感謝しながらいただく。

二、自分がありがたい食事を受けていいのか、行ないを反省して大切にいただく。

三、貪りや怒り、おろかな心がないか、自分に問いながらいただく。

四、体も心も健全に保って、修行を続けていくための良薬としていただく。

五、人間としてより高い人格を磨いていくことを思いながらいただく。

日常生活でもっとも当たり前な行為といえる食事にも、深い意味があるのです。

ところが、今の食事スタイルはどうでしょう。ただお腹がいっぱいになればいい、忙しいから何か詰め込んでおけばいい……。みなさんのなかには、そんな食事をしている人がきっといるはずです。

そこから少し、食事の仕方を変えてみませんか。少なくとも、感謝の心を持って味わいながら食べる。そんなところから、禅的生活は始まるのです。

# 31

# 米一粒も「仏さまの恵み」

——米一粒

# 「換えは利かない」という姿勢

道元禅師は繰り返し、お寺の食事一切を賄《まかな》う典座の仕事の大切さを教えています。

「米一粒といえども無駄にしてはならない」

これは、典座の基本的な姿勢をいったものでしょう。米は仏さまの恵みであり、修行僧を支えていくもの。だから、大事に大事に扱わなければいけない。そのことを自らが身をもって示すこともまた、典座の仕事である、という意味です。

禅師は米を象徴的なものとしてあげていますが、食べものでなくても、自分がかかわるものすべてについて、同じ姿勢でなければいけません。

自分の生活を振り返って、この程度のものなら、いくらでも換えが利くな……などと考え、疎《おろそ》かに扱っているものはありませんか。疎かに扱うことは、そこに自分の命を注ぎ込んでいないということです。それでは、生きている甲斐《かい》がありません。

自分にかかわるものは、どんな小さなものでも、いくら些細なことでも、命を込めて扱う。それが「禅の心を持って生きる」ということです。

32

# 無理に飾り立てようとしない

——三徳六味《さんとくろくみ》

## 「味のある人」と呼ばれるために

道元禅師は、料理の味に必要なものとして「三徳六味」という言葉を残しました。六味とは、苦味・酸味・甘味・辛味・塩辛味・淡味ですが、禅師は、それらがほどよく調《ととの》ったものでないと、食事を供したことにはならない、としています。

一方、三徳は〝軽軟《きょうなん》（あっさりとして軟らかであること）〟〝浄潔（きれいで汚れがないこと）〟〝如法作《にょほうさ》（法にかなった調理がされていること）〟の三つ。典座の料理にはこれも不可欠だ、というのです。

では、常に三徳を意識し、六味を何度も調整しなければ料理はできないのか……と思ってしまいますが、そうではありません。自分が立つ厨房の隅々にも、調理道具にも、食材にも〝誠心誠意〟向き合って全力を尽くそうとすれば、おのずと三徳が行き届き、六味もすべて備わってくる、と禅師はいいます。

人間もこれと同じです。やさしくなろうとか、強さを見せようとか、小手先で自分を飾り立ててもだめなのです。誠心誠意、全力を尽くすことだけにつとめたら、おのずとほどよい〝人間としての味わい〟が醸《かも》し出され、周囲にも伝わるでしょう。

33

# 「何でも自分でやる」という心意気

——一日作《な》さざれば一日食《く》らわず

## 「働かざるもの、食うべからず」

かつて禅寺では、自給自足で生活するのが当たり前でした。畑に出て働くことも、禅僧の大事な仕事だったのです。

唐代の僧・百丈禅師が老齢になった折、弟子たちが禅師の農具をこっそり隠した。あのお年だから農作業は大変だし、させるのは気の毒だという思いからです。

ところが、作業ができなかったその日、老師は何も口にしませんでした。ゆっくり休んでくれるだろう、とばかり考えていた弟子たちがたずねると、老師は「一日作さざれば一日食らわず」と一言。農作業をしなかったのだから、わしは何も食べない、というわけです。

弟子たちはあわてて隠した農具を取り出した、というのがこの逸話の顚末《てんまつ》です。

一般に解釈されている「働かざる者食うべからず」は真意をついていない、と私は思っています。そこには、自分でやらなければ自分の修行にはならない。何事も自分でやるから、はじめて身になるという真意が隠れているのではないでしょうか。

そうすることできっと、〝生きる実感〟というものも得られると思います。

# 34

# 「名《な》残《ごり》惜しさ」を見せて別れる

——残心《ざんしん》

## 心配りを十二分に伝えるために……

「残心」という言葉から、心残りや未練を思い浮かべる人が多いかもしれませんが、これは「残身」「残芯」とも書いて、一事が終わったあとの、知恵に満ちた心構えのことをいいます。

千利休の歌に、このようなものがあります。

「何にても、置き付けかえる、手離れは、恋しき人に、わかるると知れ」

茶席が終わって茶道具を手から離すときは、恋しい人と別れることと同じだから、精いっぱいの心を込めよ、ということでしょう。

私たちが忘れがちなのが、これ。親しい人を招いて食事を振る舞って、相手が暇を告げて帰途につく際、別れの挨拶をして送り出したら、すぐに踵《きびす》を返してしまうなんてことはありませんか。そうではなくて、相手の姿が見えなくなるまで、その場に立ってお送りする——それが残心です。

つつがなく一つのことを終えてなお、心配りを忘れないという姿勢が、お互いの心にあたたかい余韻を残す。ふだんの生活でも実践できる知恵です。

35

# 「おすそわけの心」を持つ

——生飯《さば》

## 命あるものすべてと「共生《ともいき》」するのが仏教

「さばを読む」とは年齢などの数字を誤魔化《ごまか》すことですが、その由来は魚の鯖《さば》にあるとするのが一般的です。傷《いた》みが早い鯖は時間をかけないように早口で数えられたため、数が合わないことが多かったから、こうした言葉が生まれたそうです。

一方、仏教には、この言葉の別の由来が伝えられています。

修行僧の昼食では、ご飯を何粒かとっておいて全員のものを集め、鳥や獣に与えていました。これを生飯と呼びました。ところが、修行生活の長い僧のなかには、ちゃっかり誤魔化して、生飯を食べてしまうものがいた。ここから「生飯を読む」という言葉が生まれた、というのが仏教流の解釈です。

生飯を供する仏教のしきたりは、自分一人では生きていない、他の命あるものたちによって生かされている、というところからきています。だから、自分も他のものを生かさなければいけないわけです。

まさしく「共生」ですが、これは仏教の根本的な考え方。誰かのためにそっと脇によけておく〝生飯〟の心を、持ち続けてください。

# 36

# 風の音を聴く

——閑坐聴松風《かんざしてしょうふうをきく》

## 一人静かに坐《すわ》ると見えてくるもの

忙しい毎日を送っていると、まわりにあるものに気づかないまま時が過ぎていく。松の葉を揺らす風音――そんなもの聴いたことがない、という人が多いでしょう。しかし、自然のなかで静かに坐ってじっと耳を澄ませると、サラサラと風が松を鳴らす音が聴こえるのです。「閑坐聴松風」は、そんな様子をいった禅語。

心がとらわれていたり、わだかまったりしていては、風音には気づきません。静かな心が自然と溶け合っているから、かすかな音にも気づくことができるのです。

日常生活でも静かな心になる時間を持ったら、気づくことがたくさんある。「最近、家族と話をしていなかったな」とか、「この頃、仕事で頭がいっぱいだったな」とか。それは、忙しさに紛れて見失っていた自分を取り戻すことです。

公園やビル街に設けられた庭園は小さな自然。たまには、そこで時間を過ごしてはいかがでしょうか。

私がデザインした庭園のなかにも、この禅語の心を感じてほしいという思いから、「閑坐庭」と名付けたものがあります。時間を見つけて、足を運んでみてください。

# 37

# 季節の変わり目を「肌で感じる」

——雪月花《せつげつか》

## 去年よりもいい年になるように「振り返る」

「雪月花」は四季折々の自然の美しい景色、見事に移ろいゆく季節をいった言葉です。とりわけ日本はその変化に恵まれているのですが、この頃はエアコンのおかげで夏も冬も室温は変わらず、窓外に緑の芽吹きや彩り豊かな落葉を見ようにも、高層ビルのオフィスではままならない。季節感から弾き出されているのが、都会暮らしの実態です。

ここは一つ、年中行事に参加してみてはいかがでしょう。

それぞれの地域には古くから伝わる祭りや伝統的な催しものがあるもの。それは、四季を映し出す催しものでもあります。初詣やお盆もその一つでしょう。また、夏祭りに参加して、汗だくになって神輿《みこし》を担げば、「おぉ、夏真っ盛り」と、季節感をたっぷり味わわせてくれます。

肌で季節の移り変わりを感じながら、自分の変化に思いを馳《は》せてみるのもいい。

「今年も暑いなぁ。この前、神輿を担いでからもう一年か。少し、余裕を持って仕事ができるようになったかな」――これが、心で季節を感じるひとときです。

# 38 小さなことを疎かにしない

——作務《さむ》

## 一挙手一投足が「命を見つめる」ことにつながる

僧侶にとっては、日々の厳しい鍛錬だけでなく、米や野菜を育てることも修行です。もともとインドでは僧侶が生産労働をすることを禁じていましたが、仏教が中国に入ってきて以降、僧侶は自給自足をするようになりました。中国では人里から遠く隔たった山中に寺を建立《こんりゅう》したため、托鉢《たくはつ》（食べものや金の施しを受けること）ができなくなったためです。

僧侶が米や野菜をつくる作業は「作務」と呼ばれ、坐禅にも匹敵する大事な修行とされました。畑に出て作務を行なうことは、自然とふれ合うことであり、自然に満ち満ちている命と向き合うことでもありました。それが、自分の命を見つめていくことにつながっていたのでしょう。

禅では日常の一挙手一投足を修行と捉えますが、みなさんも、日常行なっていることはすべて作務だと考えてみてはどうでしょう。ささいな行為が命を見つめることになるなら、小さなことだって疎かにする気にはなれません。姿勢を正して食事をいただく、心を込めてそうじをする……。これだけで、生活が変わります。

# 3章

【「人間関係がうまくいく」禅のヒント】

# すべての出会いは「かけがえのないもの」

# 39

# 曇りのない目で見る

——見性成仏《けんしょうじょうぶつ》

# 人のいいところに気づく

私たちは人を、ものをさまざまな目で見ています。偏見や先入観を持たなければ、「あるがまま」の姿が見えるのですが、現実にはつい勝手な見方をしてしまいます。「あの人はつき合いにくそうだから敬遠しよう」とか、「彼はどうも信頼できそうもないな」とか、ついそのように思ってしまうことも多いのです。

私たちの目を曇らせているのは心です。本来、誰もが心に仏性《ぶっしょう》（仏さまの心）を持っているのに、そのことに気づかず、曇りを払うことができません。

仏性といっても、難しく考える必要はありません。私たちのなかにあるやさしさや思いやり、他人の役に立ちたいという気持ちも、広い意味でいえば仏性です。

自分のなかにあるそんな仏性に気づいたら、それはもう仏さまの境地にあることなのです。これを「見性成仏」といいます。

ふとしたときに、敬遠していた人のやさしさが垣間見えたりしませんか。その瞬間こそ、仏性に気づけた瞬間です。まわりの人と接しながら「今日はいくつ〝気づき〟があるかな」と楽しんでみる。そう思えれば、しだいに目の曇りも拭われていきます。

# 40

# 競うのではなく「和《なご》む」

――和

# 人は、まわりの人に「生かされている」

人間は一人では生きていません。周囲に支えられ、周囲を支えながら生きています。

周囲の人とかかわりながら生きるなかで、私たちが一番大切にしたいものは「和」。相手と競うのではなく和み、気遣い合うことではないでしょうか。

しかし、「和」が大切なことだと頭でわかっていても、実際には「我欲」を抱いてしまうことも少なくありません。仕事でも、自分が成果をあげるために仲間には情報を渡さない、仲間を出し抜こうとする……。このような態度が、相手との和みを置き去りにし、人間関係をギクシャクさせてしまうのです。

「自分は生かされている」――そこに気づくと、和みの大切さがわかってきます。一歩譲って相手を立てる、自分の行動が相手に何をもたらすかを考える。そんな生き方が自然と身についてくるのです。

「梅花和雪香《ばいかゆきにわしてかんばし》」という言葉があります。梅の花に降り積もった雪が織りなす美しい景色は、梅と雪がともに本分をまっとうしながら、なおかつ、和んでいるからこそ生まれます。〝生かされているもの同士が見事に生かし合う世界〟がそこにあります。

41

# 「伝えたいこと」ほど言葉にならない

——拈華《ねんげ》微笑《みしょう》

## 誰でも「心を心で感じる力」を持っている

思いや気持ちを伝えるのは言葉ですが、しかし、言葉では伝えられない、伝わらないものもあります。

「拈華微笑」という禅語にまつわる、こんな話があります。

あるところで、お釈迦様《しやかさま》が法話をしておられた。弟子たちはどんな言葉をいただけるのか、固唾《かたず》を呑んでいました。ところが、お釈迦様は一言も発せず、ただ、一輪の蓮《はす》の花を手に取られた。戸惑う弟子たちのなかでただ一人、それを見てニコリとしたのが摩訶迦葉《まかかしよう》尊者でした。一言を語ることもなく、教えが心から心へと伝わった瞬間です。お釈迦様は、摩訶迦葉を後継者に定めたといいます。

私たちにも、心を相手の心に響かせる力、相手の心を心で感じとる力が備わっています。あふれそうな愛を恋人に伝えようとするとき、どうしても言葉にならないことをもどかしく感じたことはありませんか。

しかし、大丈夫。相手の心に向けてただ愛を伝えることだけを考える、心で相手の気持ちを感じることだけにつとめる。そんな姿勢でいたら、きっと心は通い合います。

# 42

# 相手を一番「ほっとさせる言葉」

――愛語《あいご》

## 人を傷つける言葉、励ます言葉

何気なくいった言葉が相手を傷つけてしまった、という経験はありませんか。とくに若い世代では、言葉が軽んじられているように思います。

禅では「愛語」――一言でいったら「真心の言葉」を使うべきだとしています。自分の欲得の心を離れ、ただ相手を思う。母が子どもに向けるような言葉を、誰に対しても語れ、というのです。

ところが最近は、自分のことばかり、利益ばかりが頭にあるからか、自分がいった言葉を相手がどう感じるかにまで、思いが到らないのです。

出発点は相手を認めることです。そして、自分がいいたいことではなく、相手が受け入れてくれる言葉を探すことです。すると、相手を本当に思う言葉が見つかる。

深く落ち込んでいる相手には、「頑張れ！」ではなく、「話したいことがあれば、何でも聞くよ」という言葉がふさわしいかもしれません。それが愛語です。

言葉には傷つけることがある一方で、相手を癒《いや》したり、救ったり、励ましたりする力がある。その力を最大限に活かすのが愛語なのだと、覚えておいてください。

43

# 人は「大きな○」でつながっている

――円相《えんそう》

## 重荷を降ろすことで「人とのつながり」を感じる

文字や言葉では表現できない〝真理〟を求めて、多くの僧が修行をしています。何やら難しそうですが、真理とは何か、ここで少し考えてみましょう。

唐代に活躍した南陽慧忠《なんようえちゆう》禅師が、あるとき「真理とは何か」と問われた。しかし、真理とはどうにも表現のしようがありません。そこで、「う〜ん」と唸《うな》った禅師は、「○（円相）」を描いたのです。

私たちは、自然や人々とのつながりのなかで生かされています。このことも、一つの真理です。真理を生きるとは、そんなあるがままの自分を見失わないことだといえるのかもしれません。一人ひとりがあるがままの自分を生きたら、誰もが大きな丸い円、すなわち真理のもとで、つながり合っていることに気づきます。

ときには、誰とも心が通じ合わず、独りぼっちの寂しさを感じてしまう。仕事でも、仲間とギクシャクして、弾き出された感覚になることがあるでしょう。

そんなときこそ、肩書きや立場など背負っているものを降ろして、あるがままの自分に立ち戻ってみることです。必ず、誰かとつながっている自分が見つかります。

# 44

# 人は人を貫き、私は私を貫く

――平等

## 「自分と違うところ」を認め合う

平等というと、全員が等しく同じでなければいけないと思う人がいるかもしれませんが、それはちょっと違う。

小学校の運動会で、徒競走の順位をつけず、子どもたちに手をつないでゴールさせて平等を標榜《ひょうぼう》していることもあるようですが、これは意味を取り違えています。

自分の持っている力や才能を、それぞれが存分に発揮する。それが平等です。だから、「なぜ、あいつは日の当たるポジションで俺は日陰なのか。こんな扱いは不平等だ」などと嘆くのはお門違い。一〇人いれば一〇人とも力も能力も違うし、立場だって違います。

自分が今いるところで、自分の分《ぶ》をしっかり見据え、存分の力を出し、持っている才能を活かせれば、それでいいのです。〝あいつ〟も自分の場所で同じように力を発揮しているのだから、お互い平等ではありませんか。

人は人を貫き、吾《われ》は吾を貫く。その平等を壊しているのは、もしかして、吾を貫かないでいる、あなたでは……。

# 45

# 人の上に立たなくてもいい

——和《わ》光《こう》同《どう》塵《じん》

## 「能ある鷹《たか》は爪を隠す」

自分の仕事に自信を持つのはもちろんいいことです。自信は意欲にもつながるし、エネルギーにもなる。しかし、ちょっとこんな言葉にも耳を傾けてください。

「和光同塵」――光を和《やわ》らげて塵に同ず。自分の才能や名声をひけらかしたりせず、俗世に同化するのがよい、という意味です。

もとは老子の言葉ですが、仏教の世界でもしばしば用いられ、菩薩《ぼさつ》が、みずからのすぐれた能力をあえてあらわすことなく、人間界に身を投じて人々の救済につとめるさまを、この言葉で表現します。

自信に裏打ちされた能力や秀でた力は、自分からアピールしなくても自然に伝わるものです。むしろ、そんなそぶりを見せないほうが、「あの人は何か持っている」という〝凄味《すごみ》〟が際立つのではないでしょうか。

周囲に溶け込んでいながら、いぶし銀のような光を放つ。禅では悟った自分を鼻にかけることを〝悟臭〟といって、とってはならない態度としています。職場で能力を見せつけるのも同じですね。臭気はまき散らさないことです。

# 46

# 「自分さえよければ」をやめる

——利益《りやく》

# 相手の幸せがあってこその御利益《ごりやく》

寺を訪れて静かに手を合わせながら、心に思うのは「御利益がありますように」ということ。御利益は仏さまからの恵みのことですが、これは自分が利すること、益することだけをいうのではありません。

自分が利すると同じように、他人を益することを行なって、はじめて「利益」となるのです。いえ、むしろ他人が先と考えるのがいい。

「自未得度先度他《じみとくどせんどた》」という禅語があります。自分が渡るより先に周囲の人たちを渡してあげる、という意味ですが、人々を救うための菩薩行がまさにこれです。

もちろん、現実的な利益を求めるのは悪いことではありません。一生懸命働いて儲けるのはかまわない。ただ、それがどこかで他を益することにつながっているかどうかを考える必要があるのではないか、と思います。

他人を貶《おとし》めたり、騙《だま》したりしながら、ガムシャラに儲けを追うことをしたら、足をすくわれることになる。「利益」はあくまでも、己を考え、そして他人を考える、ということがセットなのです。

# 47

# 「ついていい嘘」もある

——方便《ほうべん》

## 嘘のなかに込められた「やさしさ」

日常生活で「嘘も方便」などといって使う「方便」ですが、もともとこれは仏教の言葉。悟りへ近づく方法、または、悟りへ近づかせる方法、というのがその意味です。

この「方便」について、お釈迦様のこんな逸話が残っています。

わが子を亡くして悲嘆に暮れているある女性に、お釈迦様がいいました。

「死者を出したことのない家から辛子の種をもらってきなさい。そうしたら、その子が生き返る薬をつくってあげよう」

女性は必死で家々を訪ねますが、もとより、死者を出したことがない家などあるわけがない。女性は自分だけでなく、誰にも生老病死《しょうろうびょうし》の苦しみがあることを知り、お釈迦様の弟子となるのです。

お釈迦様も、ときに〝嘘〟を方便として用いていたというわけです。

私たちにもそんな場面はあります。真実を告げることが、必ずしも相手を思いやることにはならない。真実が相手の悲しみや痛みを深めることにしかならない。こんなときにつく嘘は、方便の元来の意味にも沿うのではないでしょうか。

# 48

# 息がピッタリ合うように「歩み寄る」

――啐啄同時《そったくどうじ》

## 相手を観察し、備えておくこと

生命が誕生する瞬間は何にもまして感動的なもの。とくに神秘的だと感じるのは、卵から雛鳥《ひなどり》が孵《かえ》る、まさにそのときです。

卵のなかの雛鳥は外に出ようとして、内側からコツコツと殻を叩きます。その音が「啐」です。一方、母鳥も孵化《ふか》の瞬間を悟って、殻を外側からつつきます。これを「啄」といいます。この啐と啄が狂いなく同時に行なわれて、はじめて雛鳥が誕生するのです。両者にわずかでもズレがあれば、命が生まれることはありません。

このように、絶妙のタイミングを得て、すばらしい仕事がなされることをいっているのが、禅語の「啐啄同時」です。

師匠と弟子の関係でも、上司と部下の関係でも、好機を逃さないことは重要です。いくら上司が仕事の知識や技術を伝えようとしても、部下にその準備が整っていなければ、歯車は噛み合いません。伝えたいことがただちに過不足なく伝わる〝伝授〟の瞬間は、いつやってくるかわからないものです。

しっかりと〝伝授〟してもらえるように、日頃から心構えをしておきましょう。

49

# 人の話は「心で聞く」

――如《に》是《よ》我《ぜ》聞《がもん》

## 「聞く」は耳に入ることではない

人の話を聞くときに一番重要なのは、耳ではありません。

お経の冒頭には「如是我聞」という言葉がついています。「かくのごとく、われ聞けり」ということですが、お経はお釈迦様の説法をのちに弟子がまとめたもの。そのため、「（ここに著した教えは）お釈迦様から私がそのようにうかがったものだ」という意味で、この文言がつけられるのです。

ちなみに、この「われ」は、長くお釈迦様の身のまわりのお世話をされていた阿難《あなん》尊者のこと。お釈迦様の説法をもっともよく憶えていた人だといわれます。

阿難尊者は、お釈迦様の言葉を傾聴するだけでなく、心で感じとっていたのでしょう。それが、「心に聞こえてくる」「心で聞く」ということです。

心に聞こえてきたことによって、自らのなかにわだかまっていた闇が晴れ、新しい世界が生まれてきた、というのが「如是我聞」の正しい解釈かもしれません。

私たちも聞いた言葉を噛みしめ、反すうすることでその真意を感じ、新たな自分、新たな世界を開くことができます。ぜひ、心で聞くことを実践してみてください。

# 50

# 「いただいたご縁」を大事にする

——阿吽《あうん》

# 人生で「かけがえのない出会い」がいくつあったか

「阿吽の呼吸」という言葉はよく知られています。

寺の仁王《におう》像や神社の狛犬《こまいぬ》は二体が対になっていますが、口を開けているほうが「阿」で吐く息を、閉じているほうが「吽」で吸う息をあらわします。吐く息と吸う息が一体であるように、心意気がピタリと合った人と人とのつながり。それが「阿吽の呼吸」の関係です。

さあ、そんなふうにつながっている人が、あなたには何人いるでしょうか。

お互いが相手を不可欠な存在と感じ、心が響き合えば、何事もうまくいき、気持ちも安らかでいられる。しかし、そう思いながらも、そこまで深く関わり合える人とは、生涯を通してもそう何度も出会えるわけではありません。

あまたいる人たちのなかでその人と出会えたことは、決して〝たまたま〟などではないのです。〝得がたい縁をいただいた〟と考えてみてはどうでしょうか。

その縁の一つひとつに感謝し、大事に育てていく。その姿勢を持ち続ければ、「阿吽の呼吸」の関係も、必ず生まれてくるはずです。

51

# 怨《うら》み、憎しみは「ただの思い込み」

——慈悲《じひ》

## 「みんなちがって、みんないい」

金子みすゞの詩に「みんなちがって、みんないい」という一節があります。

これを目にするたびに、私はいつも禅語の「慈悲」を思い浮かべています。

「慈」はいつくしみ、「悲」はあわれみですが、要は自分と他人を区別することをせず、また、怨親《おんしん》（怨むとか憎むとか、あるいは、逆に格別に親しみを持つとか）に拠ることなく、誰に対しても同じ気持ちを持つ、ということです。

この慈悲こそ、人づき合いの極意でしょう。

人と接するなかで、自分はどうも人づき合いがうまくないな、と感じる人は少なくないようですが、「あいつは押しが強すぎるから」とか「なんか陰気くさいんだよな」といった見方をしてはいませんか。それでは、つき合いがうまくいくはずはありません。自分と相手のあいだに、区別があるからです。

押しが強いのをそのまま認める、陰気なことをよしとする。区別を取っ払い、怨みや親愛の情もひとまず追いやると、ありのままの相手が見えるかもしれません。

相手へのマイナス感情なんて、案外、思い込みだったりすることが多いものです。

# 52

# ライバルに手を差しのべる

――把《は》手共行《しゅきょうこう》

## 穏やかでやわらかい「人とのつながり方」

現代が競争社会だということは否定しようがありません。だから、ライバルと目する相手としのぎを削って、一歩でも先んじようとする。

しかし、禅語では「把手共行」といい、信じる人とともに手をとって歩いて行くことを教えています。

禅語は続けてこんな情景を語ります。

ともに手をとって二人が山道を歩いて行くと、目の前に農家の炊飯の煙が見えてきた。農家の日常の営みが、ありのままに目に映ったわけです。

いがみ合って歩いたのでは、こうはいかない。歩きながら仲よく語らい、やわらかな心になったからこそ、二人には穏やかな、ありのままの景色が見えたのです。

「あいつには負けない！」などと気張っていると、心が固まって、見えるはずのものも見えなくなります。そこに大きな落とし穴もあるでしょう。

剥《む》き出しの対抗心は何の役にも立ちません。寄《よ》る辺《べ》となるのは一緒に歩いていく友の存在です。きつく握っていた拳をほどいて、誰かに手を差しのべてみませんか。

# 53

# 自分を大事に、人も大事に

——和敬清寂《わけいせいじゃく》

## 清らかな「茶道」の心を実践しよう

禅の影響を受けた茶道の精神も、私たちの心を清く洗い流してくれるものです。千利休の茶の精神をあらわしたのが「和敬清寂」という標語。茶の湯と禅の真髄がこの四文字で表現されているといってもいいでしょう。それぞれの意味は、

和…人にも自然にも和み、逆らわないこと
敬…すべてに敬いの心を持つこと
清…一点の塵も汚れもない清い佇《たたず》まいと心でいること
寂…煩悩にとらわれず、静かで動かない心でいること、となります。

もちろん、これらは全部で一体です。和もうとする思いがあって、相手を認めお互いを敬い合うという気持ちが生まれる。敬愛の念を持って尊重しているから、自然に相手に対していつわりのない清らかな心になれる。そして、清らかな心は迷いもなく、静かでいて何事にも動じることがないのです。

忙しさに紛れて心が乾き、かさかさになりがちなのが現代人。自己流の作法でいい、ゆっくり抹茶でも点てて、しばし利休の世界にひたってみてはいかがでしょう。

# 54

# 「得意なこと」を頑張ればいい

――山は是山《これやま》、水は是水《これみず》

## 「個性を活かすこと」の本当の意味

「隣の芝生《しばふ》は青い」という言葉がありますが、とかく他人のことは気になるし、また、うらやましく見えることがあるようです。人がやっていること、持っているものを見て、つい「いいなぁ」とこぼしてしまっていませんか。

しかし、うらやんだ先に何があるでしょう。

「山は是山、水は是水」という禅語があります。

山は山として本分をまっとうしているし、水も水として本分をまっとうしている。それが一番自然で自由な姿です。山が水になろうとすることなど、当然ありません。

人間も同じです。本分は個性ともいい換えられます。社交的なことが個性なら、そうでないことも、また個性なのです。だったら、その個性、本分をまっとうして生きたらいいではないですか。無理に本分を曲げて生きることはありません。

大自然は山が山としてあり、水が水としてあるから、見事に調和がとれています。人間の社会だってそうです。それぞれが本分を発揮しながら、全体としてうまく動いていく。堂々と本分のまま、自然に自由に生きたらいいのです。

# 55

# 家族とゆったり過ごす

——山中無暦日《さんちゅうれきじつなし》

## 心が乾いたときの〝特効薬〟

日々、多忙な仕事を抱え、追い立てられるような気持ちで一日を過ごしていると、知らず知らずのうちに心がカサカサに乾いてきます。

「山中無暦日」は、そんな人の〝特効薬〟。山中の松の下にある小さな庵《いおり》で、大きな石を枕に眠っていると、時の経つのも忘れてしまう。寒さがすっかり緩み、春の気配を感じる頃になって、さて、今年が何年だったか、いっこうにわからない。

世間の喧騒《けんそう》から離れ、大自然にとけ込むような暮らしをしていると、世間的な時間の流れなど忘れてしまう、というのがこの言葉の意味です。

でも、そんな山奥で過ごすことなんてできない……と思うでしょうが、この〝山中〟、実際に自然に分け入らなくても見つけられます。

たとえば、家族の気配りに心があたたかくなるときや、心が通う友人との語らいで気持ちが安らぐとき……。ふと、仕事も忘れ、時間さえも気にならない、ということがありませんか。それはまさに〝山中〟です。心が疲れてきたな、と感じたら、ぜひ、そんな身近な山中に踏みいってください。

56

# すべての出会いには意味がある

――一期《いちご》一会《いちえ》

## 「生涯一度しか会えない人」と考える

もっとも広く知られている禅語といえば、「一期一会」。

絶えず変化する世の中で、老い、やがて死に向かう私たちの命もとどめようがありません。その生涯（一期）で誰かと出会うひとときも、また、そのとき限り（一会）のものです。だから、二度と戻らないそのときを、精いっぱいの思いを込めて相手と接し、充実したものにしよう、というのがその意味するところ。

茶の湯では、亭主、席、客、道具がまったく同じでも、それぞれが一回限りのものと考えます。同じ茶会は二度とないため、全身全霊を傾けて準備を整え、打ち水や活ける花、香や掛け軸にまで、できるかぎりの配慮を尽くします。


さて、私たちは一期一会の心を持って、相手と向き合っているでしょうか。ふだんよく顔を合わせる人には、「また、会える」とタカを括《くく》っているところもあるでしょう。これでは、相手への思いが疎かになり、人間関係は希薄になる一方です。

はじめて会う人にも、身近にいる人にも、同じように「一期一会」の心をぶつけてみてください。それが、幸せな生き方にもつながっていくはずです。

# 4章

【「仕事の悩みが晴れる」禅のヒント】

# 「頑張る」よりも、「心の持ち方」を変える

# 57

# 天職は、探すのではなく「自分でつくる」

——真玉泥中異《しんぎょくでいちゅうにいなり》

## その気になれば、どこでも輝くことができる

今の仕事こそ天職だ。思う存分、自分の能力を発揮できている……。そんな実感はなかなか持てないものです。

会社で脚光を浴びている同僚や、独立していきいきと働く友人。そんな人たちを見て、「あぁ、それに比べて自分は……」と思ってしまえば、仕事のやる気や意欲も萎《な》えてしまいます。しかし、不遇の身を嘆いても何も始まりません。

どこにいても、どんな境遇に置かれても、自分を輝かせる手立ては必ずあります。泥の中にあっても宝石が光を失わないように、私たちが本来持っている輝きは、環境に左右されて消えてしまうものではないはずです。

まずは、今自分がいる場所で本分を出しきること。持っている能力をひたすら傾けて、やるべきことに一生懸命に取り組んでください。そして、そんな自分の姿を信じたらいい。落ち込むことを後回しにして、自信を持てばいいのです。

自分が本当に輝ける場所は、見つけるものではなく、つくり出していくものです。今いる場所の外よりも、今いる場所を見つめ直してみてください。

# 58

# 自分から「限界」をつくらない

——百尺《ひやくしやく》　竿頭《かんとう》に一歩を進む

## 昨日より「一〇分間だけ」長く頑張ってみる

「はじめて、自分で自分をほめたい」――オリンピックでメダルをとった女性アスリートがいった言葉です。自分の力を出しきったという気持ちが素直にあらわれていて、耳にも心にも心地よい、と感じた人は多かったのではないでしょうか。

みなさんにも、「今回の仕事はよく頑張ったなぁ」ということがあるはず。充足感、満足感が広がるときでしょう。

しかし、禅はあくまで厳しい。「百尺竿頭に一歩を進む」――もうこれ以上先がないほどの長い竿《さお》の先端が百尺竿頭。そこから歩を進めれば竿はポキリと折れそうだ。しかし、それでも一歩を踏みだすことが大切である、という意味です。修行に「もうこれでいい」という終わりはない、ということですね。

能力、実力の限界を決めるのは、実は自分です。「ここまでやったからもういいだろう」「もうこれ以上はできない」と思ったら、そこが限界になってしまう。

そこで「いや、もう一歩!」という、さらに前に進もうとする気構えがあれば、限界は打ち破れるのです。もう一歩の精神、もうひと踏ん張りの気概を持ちましょう。

# 59

# 不安はすぐに「安心」に変わる

——不安

# 「縛られた自分」を解放する方法

現代は、不安が蔓延《まんえん》している時代だといってもいいでしょう。なかでも一番大きいのは〝縛られた自分〟を失うことの不安です。「○○会社の誰々」という肩書きを持つ自分。みな会社や肩書きに縛られていて、しかし存外、それが安心感にもつながっている。縛られなくなるのが不安なんですね。

禅の祖である達磨《だるま》大師と二祖・慧可《えか》のあいだに、こんな逸話があります。慧可が「不安でたまらない、不安をとり除いてほしい」と大師に訴える。すると大師は、「ならば、その不安にさせている心をここに持っておいで」という。

慧可は、不安にさせている心が何なのかを探しますが、見つかりません。そのことを告げると、大師はこういいます。「もう、安心しているではないか」

不安をつくり出しているのは、他ならぬ自分の心だったのです。不安そのものがあるわけではない。だったら、心持ちしだいで不安を追いだすこともできる。

肩書きに固執して得られる安心感は、本物の安心感ではありません。ならば、それを失うことで生まれる不安もまた、私たちの心が生み出している〝偽物〟なのです。

60

# 「真っ向勝負」をする

——直心《じきしん》

## 「当たって砕ける」ことで成長していく

ものごとに真っ正面から向き合う。最近の若い人は、どうもこれが苦手のようです。ちょっと斜《しゃ》に構えるほうがかっこいい、と思っているせいかもしれません。

仕事を指示されても、自分の限界に挑戦しようとせず、何割かの力ですませようとする。もっとがむしゃらにやるよう指摘しても、「そんなに頑張らなきゃいけないんですか？」という対応をする。「直心」——真心をもって真っ向からドンとぶつかっていくことを避けるのです。

しかし、知識や技術、知恵は真っ向勝負を通してしか会得《えとく》できません。結果を心配して尻込みなんかせず、「ええい、やってみるか！」と厳しい仕事にも自分を投げ込んでこそ、知識や技術を得られるし、のちのち自分の財産となる。人の縁や地の縁も、そうして生まれるのです。

失敗したっていいじゃないですか。直心で取り組めば、学ぶことや得ることは、過程のなかにたくさんある。そのときは目には見えなくても、それらは確実に自分の力となって蓄えられるのです。

61

# 「努力の成果」は他人が決めるもの

――無《む》功《く》徳《どく》

## 称賛は「努力のおまけ」に過ぎない

何か行動を起こすとき、「これをやったら、きっと自分は褒められるはずだ」と考えることはありませんか。でも、周囲からの評価を期待したときほど、不思議と評価されない、努力が認められないこともあります。

禅宗の開祖・達磨大師と梁《りょう》の武帝《ぶてい》とのあいだに、こんな逸話があります。武帝が大師にこう尋ねます。「私はこれまで寺を建て、写経をし、仏典を翻訳するなど、仏教興隆のために尽力してきた。さて、どんな功徳があるものか」。大師の答えはただ一言、「無功徳（功徳などはない）」というものでした。

どんなに努力しても、どれほど善行を積んでも、それが果報（結果）を期待したものであってはいけない。禅の行為は無心無作《むしんむさ》であってこそ本物だ、というのが達磨大師のいわんとしたところです。

評価や結果は他人が決めることです。自分ができるのは、ただ一生懸命になることのみ。結果がついてきたらそれでいいし、ついてこなくてもまたいい。そんな心持ちでいたら、間違うことも、迷うこともありません。

# 62

# 仕事に「優劣」なんかない！

――莫妄想《まくもうぞう》

## 「優劣をつくり出しているのは自分」だと気づく

私たちはものごとに優劣をつけたり、価値の大小をはかったりしがちです。「この仕事はやりがいがない」とか、「これは十分にやる価値がある」とか、いつもそんな判断をしています。

唐代の無業《むごう》という禅師は、「莫妄想」と唱え続けました。この妄想とは今の使い方とは少し違い、生死、愛憎、美醜、貧富など、ものごとを対立的に捉える考え方のことをいいます。そういう対立的な考え方自体をしない、という意味です。

対立的に捉えたら選り好みが生じ、執着心が起こります。たとえば、「美しい／醜い」という捉え方をすれば、誰もが美しいものを選び、それに執着してしまう。

一本のバラも美醜という観点から見れば、美しい、萎《しお》れている（から醜い）という見方になるのです。しかし、それを取っ払えば、美しいも醜いもない、ただ自然に咲いているバラと受けとれるのです。

仕事だって、やりがいや価値の〝あるなし〟という考えを持ち込むから、選別や執着が生まれる。そこから抜け出せば、すべてがやるべき仕事だと気づけるはずです。

63

# コツコツやれば、必ず報われる

——一事《いちじ》を管看《かんかん》し、一事を管看せざるべからず

## 「一滴の水」でもけっして軽く扱わない

情熱を持って何かを始めたときには、一から一〇まで全力投球をするはずです。

ところが、手慣れてくると手を抜いたり、他人まかせにしたりするようになる。それでは自分をまっとうすることにはなりません。一瞬たりとも疎かにせず、どれほど些細なことであっても、自分で積み上げていくことが大切なのです。

大海は水の一滴一滴が集まってできています。大山もひとつまみの土が積み重なってできている。どの一滴にも、ひとつまみにも、軽く扱っていいものなどありません。

仕事の能力も人間性も、一つひとつ積み上げていくしかないのです。

「管看せざる」は注意を怠る、見過ごすという意味ですが、何かを〝こいつは軽いから（自分がやるほどのことじゃないから）〟と見過ごせば、それは能力を積み上げたり、人間性を磨き上げたりする機会を、みずから手放していることに等しいのです。

なんともったいない！

一事にとどまらず、「万事を管看せよ」——禅は、そう教えています。

64

# 目を向けるべきは「まず、自分の心」

――回《え》光返照《こうへんしょう》

## 「すぐに愚痴《ぐち》をこぼす人」への処方箋

周囲の人が自分よりも評価されていれば、嫌でも目に入るし、耳にも聞こえてきます。「あいつ、この頃成績上げてるな」とか、「彼が昇進って本当?」などの声が聞こえてきたら、まったく無関心でいることはできないもの。

ただ、そこにばかり気をとられていては、当の自分のことがおざなりになります。

「回光返照」——外に向けられていた光を内に向けて照らす、という意味の禅語です。私たちの視線は、どうも外に向きやすいところがあります。外のことはあげつらうのも自由だし、責任を問われることもないからでしょう。

しかし、それが何かをもたらしてくれるのでしょうか。

同僚の成績をうらやんでも、出世を妬《ねた》んでも、自分は何一つ変わることができません。悪口を肴《さかな》に杯《さかずき》を重ねでもすれば、その場の気晴らしくらいにはなるかもしれませんが、さめてみれば後悔の念がズシリとくる。

視線を内に向け、心を照らす以外に、自分を変える方策はありません。その日一日の自分の行ないを振り返ってみる。変化の糸口は、そんなところに見つかるものです。

# 65

# 人を動かす前に、自分が動く

——他是不有吾《たはこれわれにあらず》

## 「丸投げ」ばかりしていてはもったいない

宋に渡ったばかりの若かりし道元禅師に、こんな逸話があります。

暑いさなか、老いた典座が椎茸《しいたけ》を干すのを見て、禅師は尋ねました。

「もうお年なのに、そんなきつい仕事をなさって。どうして、もっと若い人にやらせないのですか」

それに対する典座の答えが、「他是不有吾」——他はこれ吾にあらず、他人は自分ではない。他人にやらせたのでは自分の修行にならない、というものでした。

この問答で禅師は目を開かれる思いになった、と伝わっています。

地位や立場が上になると、部下に差配するだけが仕事と考える人がいます。いわゆる、〝丸投げ〟。そのくせ、成果が上がると「チーム一丸となってやった結果だ」などと、いかにも自分が率先したといわんばかりの総括をする。

しかし、その仕事を通して何かを得るのは、実際に動いた部下たちです。達成感からも充実感からも、仕事スキルの錬磨からも、丸投げ上司は置き去りです。

いくつになっても、自分が動かない限り、自身の発展も向上もありません。

# 66

# 「俺がやらなきゃ、誰がやる」

――随処《ずいしょ》において主《しゅ》となれば立処皆真《りつしょみなしん》なり

## どんなときでも「主役になる」気持ちで

芸術の世界には一人で作品を手がける、ということが少なくありませんが、多くの仕事はほとんどがチームで動くことになります。

主役の位置にいるのは、もちろんチームリーダー。そこで、

「リーダーはあいつだから、脇役の俺は適当にやっていれば……」

といった気持ちが起きてくるかもしれない。

しかし、禅は「随処において主となれば立処皆真なり」と教えます。どんな状況にいても、そこで自分が主役になりなさい、と教えるのです。

これは、いつも「自分が、自分が」としゃしゃり出るのがいい、というのではありません。脇役の立場なら、その脇役を主役としてこなす……ややこしいですね。

では、脇役であろうと何であろうと、主体的にその任にあたる、高い当事者意識を持ってそれをやり遂げる、と考えればどうでしょう。つまらない仕事と思えても、これをやれるのは自分しかいないと、そこに全力を傾ける。立派な主役だといえませんか。すると、いつも自分らしさを見失わないでいられます。

# 67

# 心をもって心に伝える

――以《い》心《しん》伝《でん》心《しん》

## すべての仕事にも「言葉にできない教え」がある

一言も言葉を発しなくても、一瞬にして心が通じ合い、双方が一体となる。これが、禅語の「以心伝心」です。禅ではもっとも大切な教えの一つとされ、「以心伝心、教《きょ》外別伝《うげべつでん》（言葉や文字ではなく、心から心へ伝えること）」と対句にもされます。

職人の世界では、師匠は技の真髄を弟子に言葉で伝えることはしません。いや、伝えることができないのです。師匠の一挙手一投足を見続けていると、あるときふと「あっ、これか！」とわかる。文字どおり、技や仕事の真髄が腑に落ちるのです。言葉を超えた、不可思議な心の作用といえます。

職人以外の、たとえば会社勤めの人でも、以心伝心によってひらめくことがあります。手本としている上司や先輩から、言葉で教えてもらったことを自分のものにできなくて、歯がゆさを感じることがありませんか。しかし、諦めることはない。むしろ言葉で教えられただけでは、身にならなくて当然なのです。

彼らの仕事ぶりを注視しているうちに、自分と違う点、見習うべき点が見えてきます。みずから気づくことではじめて、技を自分のものにできるのです。

# 68

# 誰にでも「謙虚な気持ち」を

——既《すで》に耽著無《たんじやくな》し

## 偉い人の前で態度を変えていませんか

立派な食材を調理するときには、腕も心もいっぱいに込めるが、粗末な食材となると、ついそれを怠ってしまう。道元禅師はそれが「執着である」として戒《いまし》めます。

考えてみると、私たちは人間関係で同じことをしがちです。

得意先の大企業の人間には最高の礼をもって接するのに、相手が下請け業者になったら、手のひらを返したように横柄《おうへい》な態度をとる……ということがないでしょうか。

それは人とのつき合い方ではありません。相手の身分や地位という空疎なものとかかわりを持っているに過ぎないのです。

そんなものに引きずられて、自分の心や言葉遣いを変えたりするのは、修行に励んでいるものの行ないとはいえない、と禅師は教えています。

私たちも人生という、長く続く修行の道を歩いているのです。そして、出会う人（ご縁をいただける人）がいてこそ、その修行を続けていくことができるのだと、胸に刻んでおきましょう。

誰であっても大切な人として接する。それがシンプルで、一番いいのです。

69

# 忙しさの隙間にある「ほっとする瞬間」

――動中の工夫、静中に勝ること百千億倍

## ゆっくり坐らなくても坐禅はできる

多忙な毎日を送っていると、一人静かに、考えごとをする時間がほしいな、という気持ちになることがありませんか。

もちろん、どこまでも自然が広がる山里へでも行って、日常からまったく離れた環境で、自分のこれまでの生き方を振り返るのもいい。

しかし、禅には「動中の工夫、静中に勝ること百千億倍」という言葉があります。シーンとした空間のなかで坐禅をしていると、しだいに心が落ち着き、静かになっていきますが、ふつうに動いているときにもそんな心になれるように努力をする。それが「動中の工夫」ということでしょう。

禅には立禅《りつぜん》といって、立ったまま呼吸を整えながら、意識を丹田に落とし込んでいく方法があります。これができるようになると、電車のなかでも、雑踏で信号待ちをしているときにも、坐禅をしているのと同じ心境になれるのです。

ほんの数分、数秒でもいい。あわただしい日常のなかにも、必ず心静かになる瞬間が見つけられるはずです。

# 70

# 昨日と今日は必ず違う

——日日《にちにち》是《これ》好日《こうじつ》

# 朝、少し早起きすると「いいこと」が起きる

どんなに平凡と思える一日でも、それは自分にとってかけがえのない大事な日。だから、瞬間、瞬間を必死に生きよう――これが、禅語の「日日是好日」です。

一日を存分に生きるカギは、朝の気構えにあります。「今日もまた一日が始まってしまうな」と思うのと、「よし、新しい日が始まるぞ」と思うのとでは大違いです。

たとえば、いつもより少し早く起きて時間に余裕をつくり、窓の外を眺めてみましょう。すると、四季折々の風情を肌で感じることができます。

「あっ、蕾《つぼみ》が芽吹いてきた」「もう蟬《せみ》が鳴いている」「葉が色づいてきたな」……。

こういった小さな変化に気づければ、気持ちが清々《すがすが》しくなります。

そこから始まる一日は、いい流れに乗って進むはずです。嫌なこと、つらいことがあっても、いい流れで気持ちが前向きになっていたら、受けとめ方が違います。へたり込んだりせず、「やってやろう」という気力が湧いてくるのです。

一日が過ぎてみると、「けっこう頑張ったな」という自分がいる。そして、その日も好日で終えることができるはずです。

# 71

# 仕事も「道楽化」する

——遊戯《ゆげ》三昧《ざんまい》

## 何事も「いかに楽しめるか」が勝負

休日の楽しみを「ゴルフ三昧」「温泉三昧」などということがあります。

この表現のもとになっているのは禅語の「遊戯三昧」。三昧の意味は〝徹する〟とか〝なりきる〟ということですから、遊びに徹する、遊び倒す、ということです。

「遊び倒すことなら得意だ、望むところだ！」――そんな声が聞こえてきそうですが、ちょっと待ってください。

遊戯は単に遊びということではないのです。自分のかかわることすべて、すなわち、仕事も人づき合いも、恋愛も遊びも、また、日常の行動も何もかも……一切合切《いっさいがっさい》を含んで、遊戯とあらわしています。

そのどれについても分け隔《へだ》てせず、徹してやる。それが遊戯三昧ということです。遊び三昧は歓迎だが、仕事三昧は願い下げ、というのでは困ってしまいます。

徹してやるとは、やることを楽しむ、といってもいいでしょう。楽しいことをやるのではなく、やることを楽しむ。遊びも楽しめば、つらい仕事も楽しむ心境です。それが自由自在の仏さまの境地につながっていきます。

# 72

# 「自然体」で臨む

——無心

## 強すぎる意地やこだわりは「視野を狭める」

江戸時代、幕府の剣術指南役をつとめた柳生但馬守《やぎゅうたじまのかみ》が、臨済宗の名僧・沢庵《たくあん》和尚に「剣の極意とは何か」と尋ねたことがあるそうです。和尚はこう答えました。

「心をどこにも置かないことだ」

当時の但馬守には、その意味がよくわからなかったそうですが、これは「無心になれ」ということ。

剣術で相手の小手を打とうとすれば、心が小手にとどまるわけです。すると、相手の胴に隙があっても見えないし、反対にこちらに隙が生まれる。心をどこにもとどめず、自由に遊ばせておいたら、あるがままが見えるし、構えも万全になる、というのが和尚のいわんとした〝極意〟です。

真剣勝負で臨むビジネスにも、同じことがいえそうです。

「契約価格だけは絶対に譲らないぞ」と頑《かたく》なに思っていると、相手に思わぬ提案をされて対応に窮《きゅう》し、結局、商談は失敗に終わってしまう。心を自由に遊ばせ、自然体で臨むことが、シンプルで対応自在な、万全の〝構え〟というわけです。

# 73

# チャンスは突然やってくる

——因縁《いんねん》を結ぶ

## 「チャンスに強い人」になるためにやっておきたいこと

「どうもチャンスに恵まれないなぁ」――胸にそんな思いが膨らんでいる人が少なくないのではありませんか。周囲を見れば、次々にチャンスを与えられている仲間がいるというのに……。

禅の法話にある、二本の梅の木の話をしましょう。

一本の梅は春風が吹いたらすぐに咲けるようにと、寒い時期から準備を整えていました。これに対してもう一本は、春風が吹いたら、咲く準備をしようと構えていた。

ある日突然、春風が吹いて、一本は花を咲かせ、もう一本は、「さぁ、今だ！」と準備にとりかかったわけです。ところが、春風はその日限りで、二度と吹くことはなく、一本はついに花を咲かせずに終わったのです。

この春風が〝チャンス〟です。誰にでも平等にやってくるのですが、日頃から努力を重ね、準備をしておく必要があります。それができていれば、「やってみないか」という話があったとき、すぐに挑戦することができます。

これが「因縁を結ぶ」。結んだ縁はどんどん広がり、逃した縁は戻ってきません。

# 74

# 一人ひとりに真心を込める

——臨機《りんき》応変《おうへん》

## 人の数だけ「人との接し方」がある

何にでもマニュアルがあるこの時代。便利といえばたしかにそうですが、そのために「臨機応変」な接し方ができなくなっているのは問題です。

まだ、先代が住職をつとめていた頃、寺の改修をするので大勢の大工さんが入っていたことがあった。私はおやつの時間にドーナツでもお茶うけにしようと思って、近くのお店に買いにいったのです。

「ドーナツを五〇個ください」と注文して、返ってきた答えには度肝を抜かれました。

「お持ち帰りですか、こちらでお召し上がりになりますか」

マニュアルと寸分違わぬ応対だったのでしょう。しかし、です。五〇個のドーナツを〝こちらでお召し上がりになる〟人はそうザラにはいません。

最低限、臨機応変の心得があれば、瞬時にお持ち帰りと判断できたはず。それができないのは、マニュアルの弊害です。これでは、お客に対して真心を込めることもできません。千変万化《せんぺんばんか》する状況に適応できる〝切り替え力〟を養う必要があります。

その基本となるのは、相手が何を求めているのかをその都度考えることでしょう。

# 5章

## こう考えれば、人生はけっして難しくない

【「一生の支えになる」禅のヒント】

# 75

# 一日の終わりに、幸せを噛みしめる

――無事

# 自分のなかの「仏さま」に気づいてください

仕事を終えて自宅に戻り、ひとときの寛《くつろ》ぎのあと、眠りにつくとき、「あぁ、今日も一日無事に終わったな」という感慨が湧いてきたりするものです。事故もトラブルもなく、平穏無事に過ぎ去った時間が、とても幸福なものに思えます。

あえて説明するまでもなく、「無事」は禍《わざわい》や支障が何もない、という意味で使う言葉ですが、禅ではこれをまったく違う意味として捉えています。

「人は本来的に仏であり、求めるべき仏も行なうべき道もない」

仏性などというと、どこかとてつもなく遠いところにあるような気がするかもしれません。しかし禅では、人は人であるだけで仏と一体なのだ、仏性を得るために何事かをする必要などないのだ、という教えを、「無事」と呼んでいるのです。「無事是貴人《ぶじこれきにん》」という禅語もそのことをいっています。

大切なのは、仏と一体で生かされている自分を感じることだと思います。

無事に終わった一日の終わりに、そんな禅の世界の「無事」について少し考えてみるのも、いいのではありませんか。

76

# 物欲を「一枚一枚はがす」

——静寂

## いらないものは思い切って「捨てる」

たまには街中の喧騒を離れて、静かな空気のなかに身を置いてみたいもの。たとえば、平日の美術館などにふらりと行ってみると、心にも静けさがもたらされます。

禅の修行とは、たとえどこにいても、自分の心をそんな静けさのなかに置くための修行、というい方もできそうです。坐禅や作務を通して背負っているものを降ろしていくにつれ、しだいに心が騒ぐことがなくなっていきます。

ふだん、私たちの心を一番騒がせるのは物欲かもしれません。「あれが欲しい」と思えば、心がざわつきます。

ここは逆転の発想をしてみるといいのではないでしょうか。

「これはいらない」という視点で生活を見直すのです。すると、なぜ必要だと思ったのかさっぱりわからないもの、使わないままホコリをかぶっているものなどがたくさん見つかるはず。思い切って、捨ててしまいましょう。

それは、幾層にも重なっている物欲を一枚一枚はがしていく作業ともいえます。これが、すぐにでも取り組めるもっともシンプルな〝修行〟です。

# 77

# あるべきものが、あるべきところに、あるべきようにある

――春は花、夏ほととぎす、秋は月、
冬雪さえて、すずしかりけり

## 余分なものも、足りないものもない

道元禅師は、幕府（政権）に近寄ることを徹底して嫌っていたそうですが、たった一度だけ、やむなく鎌倉に赴《おもむ》いたことがあります。

その際、ときの幕府執権・北条時頼《ときより》に「仏法の心を歌に詠《よ》んでください」と請《こ》われ、詠んだのが、次の一首です。

「春は花、夏ほととぎす、秋は月、冬雪さえて、すずしかりけり」

春夏秋冬、それぞれの自然の姿。いずれも、何をはからうこともせず、余分なものも足りないものもなく、ただそこにあらわれている。どれも違う姿だが、等しく〝清々しい〟。その様子こそが、この歌の題である「本来の面目《めんもく》」、すなわち、あらゆるものに備わっている仏性なのだ、と禅師は伝えたのでしょう。

「あるべきものが、あるべきところに、あるべきようにある」

禅でもよく使う言葉ですが、その時々の自分が、そこにいるに相応しいか、また、自分らしく生きているか、検証してみることが必要なのでしょう。

何度ふれても、どこまでも広く深い味わいを感じさせてくれる一首です。

# 78

# 水面《みなも》に映る月は流れない

——水急不流月《みずきゅうにしてつきをながさず》

# ときには、周囲の声を「雑音」だと割り切る

なぜか突然、自分がやっていることの意味がないように感じられる。それは、周囲の環境に流されてしまい、自分の信念がぶれているから起きることです。

「水急不流月」――水がいくら急に流れても、水面に映る月が流れることはない、という意味の禅語です。

禅ではしばしば真理を月に喩えますが、真理とは時代が移ろうと、周囲の状況がどう変わろうと、まったく微動だにせず、同じ姿のままそこにあるものといえます。

真理は、信念ともいい換えられます。めまぐるしく環境が変わる現代で、ときにはその変化に惑わされたり、呑み込まれたり、流されたりしている感覚に陥《おちい》るかもしれません。

でも、そんな感覚は放っておくのがいいのです。何かを始めるときにしっかりと信念があったのなら、水の流れが少し速さを増したり、ゆるやかになったくらいでは、それがゆらぐことはありません。

いつでも、何でも、信念を込めてやる――そのことだけを考えていましょう。

# 79

# 石にも心がある

——禅即庭《ぜんそくにわ》

## 禅の庭は「自分と対話する場所」

「京都に行くのですが、どこのお庭を見たらいいですか」

そんな質問をされることがよくあります。具体的な名を挙げると、「あっ、そこは前に行きました。写真も撮ったし……」という答え。そうではないんですね。

禅の庭に使われている素材は、すべてが自然のもの。「石心《せきしん》」といって、石にも心があるとするのが日本の伝統的な精神風土です。

自然のものは、命を持って息づいている。だから、見るたびに趣《おもむき》が変わります。同じ庭でも、今日の趣と明日の趣は違う。刻一刻と変化し続けています。

でもそれは、庭そのものが変わるのではありません。庭の石は石として、樹木は樹木としてそこにあって、それぞれが天地いっぱいの命をまっとうしています。

しかし、見る人の受けとり方は変わる。喜びを胸いっぱいに抱えて見るとき、悲しみに沈んで庭の前に立つとき、庭はまったく違った姿を見せるでしょう。

庭は自分自身（の心）なのです。観光で庭を見にいくときも、心を探しにいく――そんな見方をしてみませんか。

80

# 「心安らぐ散歩道」を見つける

——露地《ろじ》

## 石を跨《また》ぐごとに「心が清らかになる」

大きな寺や神社には本堂（本殿）へと続く参道に、三つの門や鳥居が設けられています。参道はお参りをする〝浄域《じょういき》〟に入るまでに心を整える空間。時間をかけて歩きながら、空間を仕切る結界《けっかい》である門や鳥居をくぐり、一つくぐるごとに心を清めていくのです。

この考えを茶の湯に取り入れたのが千利休。参道にあたるのが、庭の「露地」です。飛び石を並べた露地は、心を「露《あら》わ」にするためのもの。飛び石を踏んでゆっくりと歩を進めながら、客は心にたまったホコリを払い落とし、露わな裸の心（生まれ持った清らかな心）になって、浄域である茶席に入っていく、というわけです。禅に通じ、茶席でもその精神を体現しようとした利休ならではの発想です。

今度、社寺仏閣に行く機会があったら、今まで何気なく歩いていた参道を、思いを新たにして歩いてみてください。

自分なりの参道や露地をつくる、というのもいいですね。自宅周辺でも会社の近くでもいい、心安らぐ散歩道を見つけて、ゆっくりと歩く――素敵な習慣です。

# 81

# 「無限に広がる世界」を感じる

——枯山水《かれさんすい》

## 修行によって会得した「心の風景」

僧侶の法話や説法を聞くと心が落ち着くなどといわれますが、同じような効き目があるのが、禅の枯山水。

日本ではじめて造られた禅の庭は、鎌倉・建長寺《けんちょうじ》の庭園とされています。枯山水とは水を用いず、地面に起伏をつくり、石を据えた庭だと平安期の書物にありますが、禅僧が庭づくりにかかわるようになると、その姿が一変します。

造形を工夫するというのが従来の庭づくりとすれば、禅僧の枯山水は心を造形化するものでした。限られたスペースに据えられた石は、切り立った山であったり、なだらかな山並みであったり。敷きつめられた白砂は、雄大な海であったり、川の流れを見せたり、小川のせせらぎを聞かせたりします。

そこに表現される自然の情景は、禅僧が修行によって会得した心の風景です。

機会があれば近くの禅寺で、枯山水が静かに語りかけてくるものを感じてください。また、禅の庭でなくても、きれいに掃き清められた寺の境内などから、禅僧の心を受けとることもできるのです。

# 82

# 「何もない」から美しい

——余白

# 人生も「つめ込みすぎない」ほうがいい

京都の龍安寺《りゅうあんじ》にある枯山水の石庭はよく知られています。配されている石は一五石。あとの空間は何もない余白です。

なぜ余白になっているのか。余白については39ページでも少しふれましたが、ここでもう一度、その意味を考えてみましょう。

石庭の余白から感じとれるのは、静けさ、それも無限なる静けさでしょう。

石庭ではその静けさを表現しようと、さまざまな石をさまざまに配することを考えつくします。しかし、どう石を配しても、一番伝えたいものは形にならない。

そこから〝そぎ落とす〟作業が始まります。そぎ落とすことによってつくられていく余白。そして、ギリギリまでそぎ落としたとき、石と余白は相まって、禅師の心の世界、表現したかった世界をそこに展開することになるのです。

石庭の前に立って静けさを感じ、美しさに打たれているとき、配石の巧みさだけが心に映るのではないのです。見事な余白も、同時に心を揺さぶっています。

余白を活かす——それが生きることにも通じる、禅の真髄なのかもしれません。

# 83

# 「小さな自然」に身をおく

――青山緑水《せいざんりょくすい》

## 身近なところにある「心を解放する場所」

大自然には、日常生活で硬く縮こまってしまった心を解き放ってくれる力がありま す。誰もが自然のなかにいると、解放感でいっぱいになる。多忙な人ほど、そうした時間が必要です。

青々とした木々がおおう山、満々とたたえられた緑の水。「青山緑水」は、雄大な自然の情景をいった言葉です。幾多の風雪を受けとめて身じろぎひとつしない、その悠然たる姿は不動の仏さまそのもの。そこに真理、世の中の道理が体現されている、といっていいでしょう。

禅寺の方丈には北側と南側に庭が設《しつら》えられていましたが、プライベートな空間である北側の庭には緑や水がたくさん使われ、大自然がイメージされていました。深山幽谷《しんざんゆうこく》に包まれた時間を持ちたい。つまり、仏さまと向き合って時間を過ごしたい、という禅僧の思いが込められていたのです。

都会のホテルやビルのエントランスなどにも、小さな大自然を表現した庭や空間があります。たまには、そんな自然のなかに身をおいてみてはどうでしょう。

# 84

# 「空っぽな心」で打ち込む

――只管打坐《しかんたざ》

## 「何のためにやるのか」も忘れるほど没頭する

同じ禅宗にも、曹洞禅と臨済禅では大きな違いがあります。

臨済禅は「古則公案《こそくこうあん》」――いわゆる問答を通して徹底的に自分を追い込み、価値観や判断を打ち壊すことで、悟りを得ようとする。対して曹洞禅では、「只管打坐」――ただひたすら坐ることによって、その境地に到《いた》ろうとします。

ただ坐るとは、何も求めないこと。

悟りを開く、意志を強くする、健康になる、知恵を磨く……。そんなものは一切求めず、坐っていることさえ忘れ、心を空っぽにするのです。坐禅に徹することで、意志が強固になったり、知恵がついてきたり、さらには悟りの境地に辿り着くこともできますが、それはあくまで結果としてついてきたものだと考えます。

私たちは「目的のために何かをする」ことに慣れています。しかしそれは、裏を返せば、何か得ようとする目的がなければ、何もしないということです。

そうではなくて、ただ一つのことに打ち込んでみるのが禅の精神です。目的もなく、心を空っぽにすることで、感じること、見えるものがあるはずです。

85

# 気負わない、欲張らない

——無心《むしん》帰《なれば》大《だい》道《どうにきす》

# 自分の力を最大限に発揮するコツ

庭のデザインをしているとき、「いいものをつくろう」とか「あそこはもっとこうしたらいいいな」とか、変に気負ったり、欲張ろうとすれば、結局自分の思いを表現し尽くした庭はできません。

庭づくりをしているという意識すらなくなって、身体だけが動いている——満足のゆく庭が完成しているのは、決まってそんなときです。

考えるから迷う。技巧を凝らそうとするから、執着が生まれてしまうのです。

「無心帰大道」の「無心」はいかなる作意《さい》もなく、身体だけが動いている状態のこと。そんな無心の状態にあってはじめて、自分の本当の力が出る、といえるのです。

ものごとに取り組むときには、どこかで下心がうごめくもの。まさに、冒頭の私の心境です。そこで、ああでもないこうでもないと、こねくり回すわけですが、それが逆に、集中させるべき力を分散させてしまうのです。

頭で十分に考え、その上で夢中で現場に取り組んだときこそ、終わってみると力を存分に出しきれた、という結果になる。早くそこに気づくことです。

86

# 水のように「しなやかに生きる」

——融合如水以成和《ゆうごうすることみずのごとくもつてわとなす》

# 自分からまわりに飛び込めば「楽になる」

本意ではない、ウマが合わない人間、馴染めない隣近所……。自分の環境を窮屈だとか、息苦しいとか感じている人は少なくないかもしれません。

もっと、自分がのびのび生きられるところがあるはず、持っている能力をちゃんと出せる仕事があるに違いない。そう思えて仕方がないのでしょう。

「融合如水以成和」とは、水はどのような形の器に入れても、その形に収まっていく、という意味です。丸い器に入れたら丸く、四角の器なら四角になる。自分は三角じゃなきゃ嫌だなんてことはいいません。

実は、この禅語は私のオリジナル。人間も水のように柔軟に物事を捉えたらいいのに、という気持ちでつくったものです。

息苦しさを感じるのは、周囲は自分に合わせてくれるものだ、という思いが心にあるからです。自分から周囲に溶け込んだら、ずいぶん楽になるのに、自分を殺すような気がしてそれができない。

でも、あなたの心は思っているよりずっとしなやかで、そんなに弱くないはずです。

# 87

# 自分を信じて生きる

――自《じ》灯明《とうみょう》、法灯明《ほうとうみょう》

## 結局、信用できるのは「これまでの経験」

お釈迦様が入滅《にゅうめつ》（仏さまの死のことをこう呼びます）の間際、弟子の阿難尊者に残したとされるのが「自灯明、法灯明」の言葉です。

自分がそれまでに経験したり、学んだりして会得した知恵を信じ、自分を拠り所として人生を歩んでいく、ということでしょう。

現代のように情報化が高度に進化した社会では、ともすると、自分で判断することを忘れ、情報に動かされたり、振り回されてしまいます。

たとえば、天気予報。今ではさまざまなデータを使って予報がされていますが、テレビ局によって予報の内容が微妙に違ったりします。多くの情報が手に入るからこそ、それぞれの解釈が生まれ、見ている私たちを混乱させることがあるようです。

そんなときは、山にかかる雲の様子を見たり、海沿いの地域なら凪《なぎ》か時化《しけ》かを見て天候の荒れ模様を予想してみてはどうでしょう。経験的な知恵は、機械的な情報をはるかに超えて、意外なほど信頼できる場合もあります。

どんな経験も学びも、知恵として蓄える。そんな気構えが大事なのかもしれません。

# 88

# 走れなくても、歩き続ければいい

——醍醐味《だいごみ》

## 変化を続ければ「最高の自分」に近づく

ものごとの深い味わい、真髄といった意味で使われる「醍醐味」は、もともと仏教の言葉です。

牛乳（頭《ず》乳羹《にゅうこう》）を精製していくと、順に〝乳〟〝酪《らく》〟〝生酥《しょうそ》〟〝熟酥《じゅくそ》〟〝醍醐〟というものになります。これを五味といいますが、順を追うにしたがって、質も味わいもすぐれたものになっていくのです。

最上、最高の味をもつ乳製品が醍醐だったようです。そこで、この醍醐を仏さまの教えになぞらえ、最上級の教えを醍醐味と呼ぶようになったわけです。

乳が醍醐に至るまでにどのくらいの年月がかかるかはわかりませんが、そのあいだ、絶え間ない変化を続け、最高の味へと自らを導いていくことは間違いありません。どこか、私たちの自分磨きに似ていると思いませんか。私たちの人格も、絶え間ない自分磨きの結果、より高いものに熟成されていきます。

熟成速度はそれぞれ違っていても、歩みをとめなければ、皆〝醍醐〟に向かって生きていることになるのです。

# 89

# 人は裸で生まれ、裸で死ぬ

——本来無《ほんらいむ》一物《いちもつ》

## 「人生の荷物」を軽くするコツ

禅を一気に花開かせた六祖・慧能《えのう》禅師が残した言葉が、「本来無一物」。人間が生まれてくるときは、丸裸で何一つ持っているわけではない、それが人間の本来の姿だ、ということです。

ところが、人は生きていくうちにいろいろなものをまとい、それが手放せなくなる。家族をなくしたくない、財産を失うのは嫌だ、肩書きは守りたい……という塩梅《あんばい》です。そして、それに縛られてしまう。

しかし、あの世には、何も持っていけるわけではありません。やはり、無一物でこの世に別れを告げることになります。そこに気づいたら、幾分か心が軽くなりませんか。まとっているものへの執着が薄らぐはずです。

また、この言葉とは別に、「無一物中無尽蔵《むいちもつちゅうむじんぞう》」というものがあります。何も持っていないから、無限の可能性がある、ということです。

「俺って、何もないからな」などということはない。今うまくいっていないのは、秘めている可能性をまだ掘り起こしていないからだ、と考えればいいのです。

# 90

# 悲しいときは、思いきり泣けばいい

――生者必滅《しょうじゃひつめつ》、会《え》者定離《しゃじょうり》

# 人生最後の仕事とは何か

この世に生を受けたものには、必ず〝滅する〟ときがきます。

出会った人とは、いつか別れなければなりません。どれほど資産があろうと高い地位にいようと、これは変わらないこと。誰かが仏さまになったとき、それをどう受けとめるのかが、大事になってきます。

深い悲しみは、どうぞ、心ゆくまで涙を流しながら受けとめてください。そして、しばらく時が過ぎたら、去っていった人の心を引き継ぎ、次代につなげていくことを考えてください。

「あぁ、あのときの言葉はこんなことだったのか」と、その人の生前の言葉で響くものがあれば、それを生きるよすがの一つにすればいい。これが、次代に引き継ぐということ。仏さまになった方は、そうすることで心のなかに生き続けるのです。

いつか、私たちもその道をいきます。引き継いできたものを、しっかりと次代に受け渡すことが、人生最後の仕事。「そこそこ、一生懸命に生きたなぁ」と感じることができれば、受け渡しは終わっています。

# 91

# 「道を示してくれる師」が必ずいる

――三級浪高魚化龍《さんきゅうなみたかくしてうおりゅうとけす》

## 誰にでもある「人生を一八〇度変える出会い」

禅の庭には、滝がよくつくられていますが、なぜだかわかりますか。

これは、中国の古い伝説が元になっています。

黄河《こうが》の治水のために、龍門山《りゅうもんざん》という山を三段に切り拓いたところ、三つの滝ができた。水流が激しく難所となったその場所を、ときに鯉《こい》が登り切り、龍と化して天に昇ったといいます。そこで禅では、この滝を悟りに到るまでの厳しい関門と捉え、滝に挑む鯉を修行に打ち込む禅僧に見立てているのです。

「三級浪高魚化龍」の禅語は、この伝説を踏まえ、すぐれた師と巡り会い、そのもとで修行すれば、鯉が龍になるように、おろかな人間も悟りを得ることができる、という意味。師を選ぶことの大切さをいったものでしょう。

人生も、よき師との巡り会いが重大な分岐点になる気がします。

一言で目を開かせてくれるような師、行動で進むべき道を示してくれるような師。

みなさんは、すでに出会っているでしょうか。

大丈夫、人生には必ず、そんな師との出会いが用意されています。

# 92

# 明けない夜はない

——災難に逢う時節は災難に逢うがよく候《そうろう》

## 暑くても、寒くても「そのままの自分」で

できることなら〝順風満帆《じゅんぷうまんぱん》〟な人生を過ごしたい。誰しも、心のどこかにそんな思いがあるはずです。

しかし、人生は山あり谷あり、順境も巡ってくるし、苦境に立たされることもある。では私たちは、苦境のとき、それをどう受けとめたらいいのでしょうか。

「災難に逢う時節は災難に逢うがよく候」は、良寛さんの言葉です。

酷暑の時期、もしくは酷寒の時節になれば、「なんとかならんか、この暑さ（寒さ）」と嘆きたくもなる。しかし、暑さ寒さは逃れようがありません。

苦境も同じで、逃れようがないのに逃れようとするから、苦しくなるのです。ここは、抗《あらが》わないのが妙法。「苦境にいるがよく候」――そんな良寛さんの声が聞こえます。「明けない夜はない」という言葉もあるではないですか。

どんな状況でも、今そこに、そのようにある（存在している）自分をいっぱいに生きることが大切です。東日本大震災で被災したみなさんが、悲しみを受け入れて、なお真摯《しんし》に生きる姿は、私たちにそのことを教えてくれています。

本書は、本文庫のために書き下ろされたものです。

枡野俊明（ますの・しゅんみょう）

1953年、神奈川県生まれ。曹洞宗徳雄山建功寺住職、庭園デザイナー、多摩美術大学環境デザイン学科教授、ブリティッシュ・コロンビア大学特別教授。

玉川大学農学部卒業後、大本山總持寺で修行。禅の思想と日本の伝統文化に根ざした「禅の庭」の創作活動を行ない、国内外から高い評価を得る。芸術選奨文部大臣新人賞を庭園デザイナーとして初受賞、ドイツ連邦共和国功労勲章功労十字小綬章受章。また、2006年のニューズウィーク日本版にて「世界が尊敬する日本人100人」にも選出される。

主な作品に、カナダ大使館東京、セルリアンタワー東急ホテル日本庭園、ベルリン日本庭園など。

主な著書に、ベストセラーとなった『禅、シンプル生活のすすめ』（三笠書房《知的生きかた文庫》）の他、『禅の庭――枡野俊明の世界』『禅と禅芸術としての庭』『禅僧とめぐる京の名庭』などがある。

知的生きかた文庫

禅《ぜん》「心《こころ》の大《おお》そうじ」

著者　枡野《ますの》俊明《しゅんみょう》
発行者　押鐘太陽
発行所　株式会社三笠書房
〒一〇二-〇〇七二　東京都千代田区飯田橋三-三-一
電話〇三-五二二六-五七三四〈営業部〉
〇三-五二二六-五七三一〈編集部〉
http://www.mikasashobo.co.jp
印刷　誠宏印刷
製本　若林製本工場

ISBN978-4-8379-7971-5 C0130